G000097393

SAMPLERI CYMREIG

I Nain

Argraffiad cyntaf: Awst 1993
Ailargraffiad: Tachwedd 1993

Y clawr gan Y Lolfa

Rhif Rhyngwladol: 0 86243 295 2

Rhwymwyd gan Principal Bookbinders, Ystradgynlais;
argraffwyd a chyhoeddwyd yng Nghymru
gan Y Lolfa Cyf., Talybont, Ceredigion SY24 5HE;
ffôn (0970) 832 304, *ffacs* 832 782.

Sampleri Cymreig

HANES / TECHNEGAU / ENGHREIFFTIAU

Joyce F. Jones

y Lolfa

CYDNABYDDIAETH

W.D.Jones, Cricieth, am sgwennu sawl englyn a phennill

Geraint Ll.Owen am ei englynion

Les Burridge, Sgwâr y Castell, Cricieth am fframio'r sampleri

Diolch i'r canlynol am ganiatâd i gyhoeddi sampleri o'u heiddo:

Catrin Jones, Y Parch.Stanley Owen, Mr Robin Williams, Lea Pritchard, Gwyneth Jones, Iwan Hughes, Myra Pierce, Dylan ac Alison Ellis, Liam ac Iwan

Diolch hefyd i Elin Llwyd Morgan, Iolyn a Megan Jones, Eirlys Williams

Ffynonellau cynllunio a ddefnyddiwyd mewn rhai sampleri:

Colby—Averil—*Samplers* (Batsford 1964)
Meulenbelt—Nieuwberg, Alberta
Embroidery Motifs from Dutch Samplers (Batsford 1974)
Co Spinhoven—Celtic charted designs (Dover 1987)

CYNNWYS

TARDDIAD BRODWAITH–7
SAMPLERI BAND–9
FFABRIC–10
EDAU–11
LLIW–13
PWYTHAU–15
SYMBOLAU–21
CYNLLUNIO–31
SAMPLERI LLIW LLAWN–33
ENGHREIFFTIAU O GYNLLUNIAU–49
FAINT O FFABRIC?–66
PATRYMAU CELTAIDD–67
PARATOI I WEITHIO–78

Tarddiad Brodwaith

Mae'r grefft o bwytho yn dyddio'n ôl i'r cyfnod cyntefig pan ddechreuodd pobl wisgo crwyn anifeiliaid er mwyn cadw'n gynnes, gan ddefnyddio gwellt ac ewinedd yn lle edau, ac esgyrn a darnau o efydd yn lle nodwyddau. Cafodd y defnydd cyntaf ei greu trwy weu gwellt a choesau planhigion, nes y darganfuwyd ffordd o droi ffibrau byrion a blew anifeiliaid yn edau hir drwy eu nyddu. Cyn i'r dröell ddod yn boblogaidd, arferai pobl droelli rhwng eu bysedd. Roedd pobl yn troelli a gweu yn Mesopotamia, Tseina a'r ardaloedd o gwmpas Afon y Nil mor bell yn ôl â 10,000 BC, ac o'r cyfnod hwnnw hyd heddiw, defnyddiau crai megis gwlân a sidan sy'n cael eu defnyddio. Yn wir, roedd y pedwar gwareiddiad cynnar o'r Hen Fyd yn ffafrio'r un math o ffibr: yr Eifftwyr yn defnyddio'r planhigyn llin i wneud lliain a'r Swmeriaid ym Mabilon yn datblygu gwlân. Roedd cotwm yn cael ei wneud yn India mor gynnar â 3,000 BC, a'r grefft o wneud sidan oedd un o ryfeddodau diwylliant Tseina.

Yn sgîl hyn, daeth lliwiau naturiol i fod yn bwysig hefyd, er mai cyntefig iawn oedd y llifo ar y pryd, a rhaid oedd troslifo er mwyn ychwanegu at y nifer o liwiau oedd yn bodoli. Gwnaethpwyd lliwiau glas o blanhigion y *woad* yn y Gorllewin ac *indigo* yn y Dwyrain; lliw coch o wraidd y friwydd wen *(madder root)*, a lliw melyn o *weld*. Roedd porffor brenhinol yr Ymerodraeth Rufeinig a lliwiau coch eraill megis *cochineal* (lliw coch golau neu ysgarlad) yn tarddu o wahanol bysgod cregyn a thrychfilod.

Dechreuodd pobl wneud brodwaith fel ffordd o gryfhau ffabric drwy frodio edau ychwanegol, ac yn raddol fe ddatblygodd i fod yn rhywbeth addurniadol. Yn yr Oesoedd Canol, roedd brodwaith yn ddibynnol ar nawdd yr Eglwys, a gwelir ei dylanwad yn gryf ar y patrymau a'r cynllun. Yn ystod y cyfnod yma, roedd brodwaith Prydain yn enwog am ei geinder, gyda dynion a merched fel ei gilydd yn brodio yn nhai'r uchelwyr yn ogystal ag yn y cymunedau eglwysig.

Daeth y sampler i fodolaeth yn sgîl poblogrwydd brodwaith fel ffordd o addurno ffabric o gyfnod y Tuduriaid, a disgrifir y gair *sampler* yng ngeiriadur Eingl-Ffrangeg John Palsgrave (1530) fel *'an example for a woman to work by example.'* Ond y cyfeiriad cyntaf a geir at sampler mewn llenyddiaeth ym Mhrydain yw'r cwpled gan Tudur Aled o chwarter cyntaf y bymthegfed ganrif:

> Aur wniadau â'r nodwydd,
> Arfer o'r sampler yw'r swydd.

Sampler Band

Pwythau

Aur wniadau o'r nodwydd,
Arfer o'r sampler gw'r swydd.

Croesbwyth

Holbein

Holbein

Croesbwyth Slaf

Croesbwyth a Holbein

Sidan

Croesbwyth

Croesbwyth a Holbein

Croesbwyth a Sidan

Sgwâr

Rice ac Algerian Eye

Sidan

Croesbwyth a Sgwâr

Sidan

Croesbwyth a Sgwâr

Sgwâr

Croesbwyth

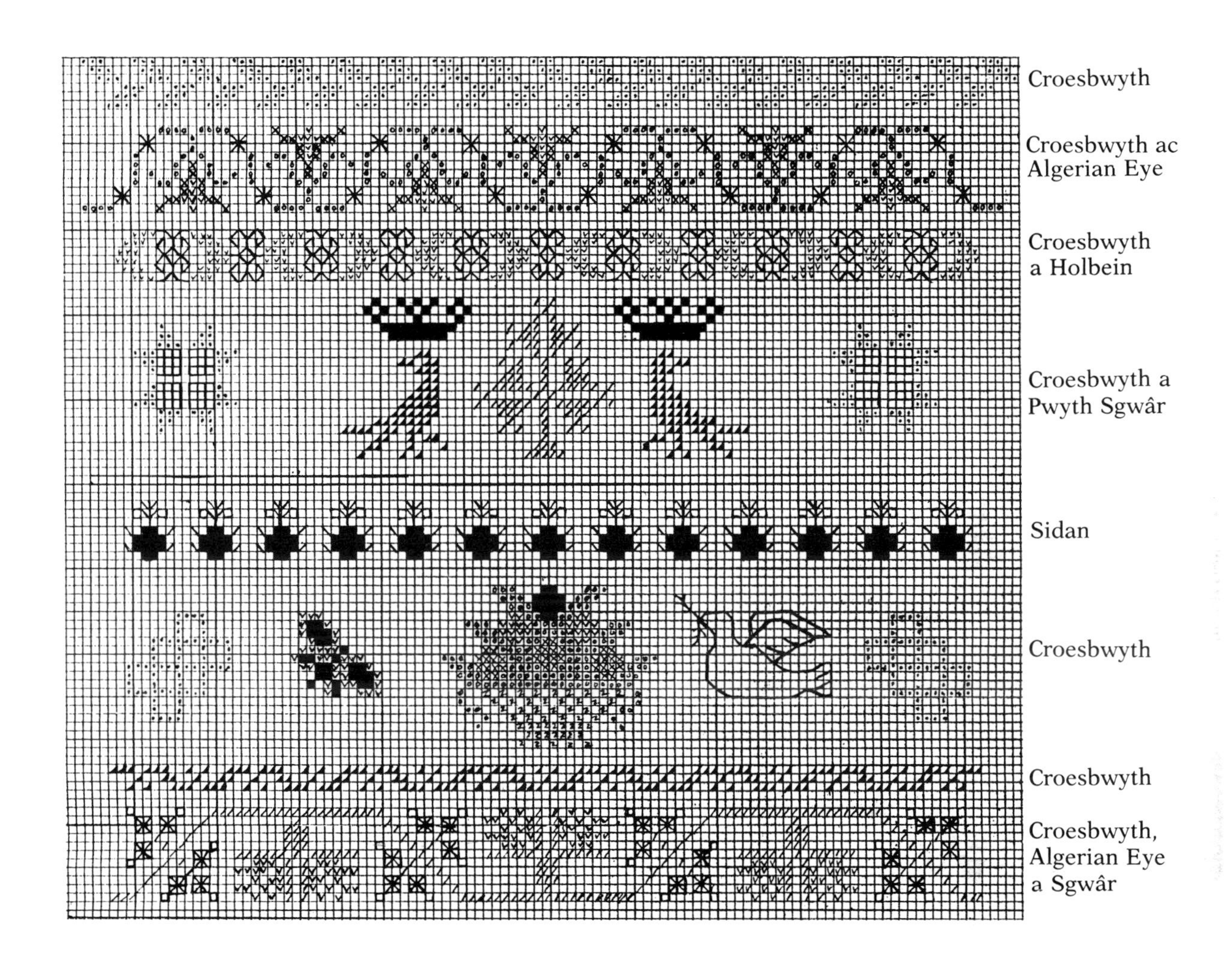

Sampleri Band

Ar liain y gweithid sampleri band fel arfer yn ystod yr ail ganrif ar bymtheg, gyda hyd a lled y sampler yn cael ei gyfyngu gan led y gwehydd. Mae'r sampleri yn mesur rhwng chwech a deuddeg modfedd o led, a'r hyd yn amrywio o ddwywaith i bum gwaith yn fwy na'r lled. Roedd yn draddodiad i droi'r sampler ar wialen bren neu ifori er mwyn ei gwneud yn fwy hwylus i'w gadw mewn blwch gwaith.

Mae ffasiwn y cyfnod wedi bod yn ddylanwad cryf ar y math o frodwaith oedd yn cael ei wneud. Roedd gwaith du *(black work)* yn cael ei ddefnyddio'n aml iawn ar ddillad yr unfed ganrif ar bymtheg, ynghyd â gwaith glain a brodwaith gydag edau sidan a metel. Roedd dillad Elisabeth I yn frith o frodwaith aur ac arian ynghyd â sidan, tlysau disglair a gemau i gyfoethogi'r defnydd. Mae'r sampleri sy'n cynnwys y mathau yma o frodwaith yn siwr o ddyddio'n ôl i gyfnod y Tuduriaid felly.

Ni fwriadwyd arddangos y sampleri cynharaf, gan mai cofnod gwaith neu storfa i gadw pwythau oedd eu pwrpas.

Llinellau taclus o batrwm neu 'fand', un ar ben y llall (mewn llinellau llorweddol fel arfer) yw nodweddion sampleri band. Fe weithid y bandiau yn drwchus arno, gan orchuddio pob modfedd o'r ffabrig. Arferai'r lliain mwyaf cyffredin (wedi ei wynnu neu ei adael yn naturiol) gael ei fewnforio, ac roedd yn ddrud i'w brynu bryd hynny hefyd. Daeth lliain melyn ar y farchnad am gyfnod byr iawn yn y flwyddyn 1620, ac o ganlyniad daeth torchau llawes, coleri a hancesi melyn yn ffasiynol.

Lloegr, yn amlwg, oedd y brif wlad lle cynhyrchid sampleri yn ystod oes aur yr ail ganrif ar bymtheg, a defnyddid y patrymau a gasglwyd a'u storio ar liain ar gyfer prosiectau gwnïo yn y dyfodol. Yn raddol, tyfodd pwysigrwydd llyfrau patrymau, ac o'r Eidal daeth llyfr o'r enw *New and Singular Patterns and Workes of Linnen Serving Patterns to Make All Sorts of Lace Edgings and Cut Workes* a gyhoeddwyd yn 1591. Cyhoeddwyd llyfr Saesneg gan Shor Leyke yn 1626 o'r enw *Schole House for the Needle,* ac roedd llyfr o'r enw *The Needle's Excellency* yn ei ddeunawfed argraffiad erbyn 1640.

Ar ôl i gyfnod y sampleri band ddirwyn i ben, ymddangosodd tuedd newydd mewn gwaith sampleri erbyn canol y ddeunawfed ganrif, gyda llythrennu yn cymryd lle adar, ffrwythau, blodau ac anifeiliaid a siâp y sampler yn fwy sgwâr, gyda border o gwmpas yr ymyl. Wrth wnïo'r sampleri band yn y llyfr hwn, gobeithio y cewch syniad a blas o'r math o frodwaith cywrain oedd yn cael ei wneud yn ystod yr ail ganrif ar bymtheg.

Ffabric

I weithio sampler heddiw mae angen ffabric gyda gwead gwastad, yr un faint o edau yn yr ystof a'r anwe, a thrwch pob edau yr un fath. Gellir cael amrywiaeth o edau i'r fodfedd o wyth (y brasaf) i 36 (y meinaf), a gellir gweithio croesbwyth dros un grŵp o edau fel yn Aida, neu dros un edau mewn lliain gyda 28 edafedd. Mae hyn yn waith manwl iawn, fodd bynnag, ac nid ar gyfer y gwangalon.

Ceir dewis eang iawn o ffabric, ac ymhlith y gwahanol fathau mae yna ddewis o ffibr megis lliain, cotwm, gwlân a ffibr synthetig, yn ogystal ag amrywiaeth o liwiau. Yr hyn sy'n hollbwysig yw dewis ffabric o ansawdd da.

Lliain—ffibr naturiol a dyfir yn Iwerddon, Gwlad Belg a Gwledydd y Baltig. Mae'n ffabric hynafol iawn, ac ar liain y gweithid y sampler cyntaf. Fel arfer mae naill ai yn ei liw naturiol neu wedi ei wynnu, ac er bod y gwead yn hollol wastad, ceir amrywiaeth yn nhrwch yr edau sy'n gwneud iddo ymddangos yn anwastad. Er hyn, mae'r pwytho yn llyfn, a chan ei fod yn ffibr naturiol sy'n anodd i'w gynhyrchu, mae braidd yn ddrud. Gellir ei brynu gyda chyfrif o 18 i 36 edafedd i'r fodfedd.

Cotwm—ffibr naturiol arall sy'n rhatach na lliain ac ar gael mewn nifer o liwiau a gwead.

Aida—ffibr wedi ei weu mewn blociau o edau, gyda chroesbwyth yn cael ei wnïo dros un bloc. Mae ar gael mewn sawl cyfrif: 18, 14 ac 11 i'r fodfedd. Er ei bod yn rhwydd cyfrif a gweld y blociau yma, nid yw'n foddhaol ar gyfer gwaith manwl iawn oherwydd na ellir gweithio hanner croesbwyth arno'n llwyddiannus.

Hardanger— mae gwead dwbl i'r ffabric cotwm yma, ac felly mae'n fwy cadarn na lliain o'r un cyfrif. Ceir 22 edau i'r fodfedd ac mae ar gael mewn sawl lliw. Mae'r enw'n tarddu o'r ardal yn Norwy lle gweithir math arbennig o frodwaith, gan gynnwys gwaith torri a gwaith gwyn, sy'n hollol ddibynnol ar y math yma o ffabric am ei lwyddiant.

Linda—ffabric cotwm o'r un gwead â lliain sydd ar gael mewn cyfrif o 25 neu 27 edau i'r fodfedd. Mae'n llifo'n dda, ac felly ceir digon o ddewis o liwiau, ac mae dipyn yn rhatach na lliain.

Gwlân—Ffabric hufen gyda gwead gwastad, mewn cyfrif o 18 neu 22 edau i'r fodfedd. Mae'n ddrud fel pupur, ond gellir creu brodwaith hyfryd wrth ddefnyddio edau wlân, megis crewel neu edau sidan ar y wlanen hon.

Joblan—cyfuniad o gotwm a ffibr synthetig yw'r ffabric yma, gyda gwead o 25 edau i'r fodfedd. Ar gael mewn nifer o liwiau, mae hwn yn ffabric braf a hawdd i weithio arno.

Edau

Ceir dewis eang o edau ar gyfer brodwaith: rhai gloyw megis edau hollt; rhai eraill heb fod yn loyw megis edau flodyn, a rhai gyda thro megis perl. Mae edafedd sidan ar gael hefyd, ac er nad oes dewis eang, mae lliwiau'r rhain yn fendigedig. Gellid defnyddio edau wlân denau megis crewel, ac mae'n hyfryd gweithio gyda'r rhain ar wlanen.

Edau hollt cotwm gan DMC neu Anchor sydd fwyaf poblogaidd. Maent yn loyw gyda thipyn o dro ac mae'n bosib rhannu'r edafedd yn chwe rhan. Dwy edau yn unig a ddefnyddir i weithio'r rhan fwyaf o groesbwythi a'r Holbein sy'n rhan o'r patrwm. Dim ond un edau a ddefnyddir i amlinellu'r patrymau.

Perl Cotwm—mae tro pendant yn yr edau loyw hon ac mae'n rhaid ei defnyddio fel y daw—ni ellir ei hollti. Mae ar gael mewn amryw o liwiau ac mewn pedwar trwch—3 (y mwyaf trwchus), 5, 8 a 12 (y teneuaf). Defnyddir yr edau hon i weithio gwaith gwyn, gwaith torri a thynnu, lle mae'r tro a'r gloywder yn ychwanegu cymhlethiad i'r cynllun.

Edau Flodyn *(Flower Thread)*—edau heb fod yn loyw yw hon a oedd, tan yn ddiweddar iawn, yn cael ei llifo'n naturiol. Erbyn hyn, mae'r llifo'n synthetig, sy'n golygu fod pob sgen yn union yr un lliw. Gellir creu effaith hynafol ar sampler drwy ddefnyddio'r edau hon.

Edau Wlân Crewel—edau wlân denau yw hon sydd ar gael mewn sawl lliw. Mae'n hyfryd gweithio croesbwyth yn yr edau hon ar wlanen gyda gwead gwastad.

Edau o'r cwmni DMC a ddefnyddiais ym mhob sampler a phatrwm yn y llyfr hwn (fel yn fy ngwaith i gyd). Er bod sawl lliw yr un fath gan y ddau gwmni (Anchor a DMC.) teimlaf fod lliwiau DMC yn feddalach ac yn toddi i'w gilydd yn well. Beth bynnag yw eich dewis, mae'n bwysig gwneud sampl o'r pwythau yn y nifer o edau a ddefnyddir er mwyn gwneud yn siŵr bod yr edau'n gorchuddio'r ffabric yn foddhaol.

Nodwyddau—rhaid defnyddio nodwyddau tapestri er mwyn osgoi hollti gwead y ffabric, ac mae'r rhain ar gael o faint 14 i 26 (26 yw'r nodwydd deneuaf). Gorau po feinaf yw'r nodwydd sy'n cael ei defnyddio gan ei bod yn hwyluso'r pwytho a ddim yn gadael ei hôl. Os ydych yn cael trafferth i roi'r edau trwy'r crai, mae teclyn bach hwylus ar gael.

Ffrâm—mae llawer o bobl sy'n gwnïo yn hoffi defnyddio ffrâm, ond yn bersonol ni fyddaf byth yn defnyddio un i weithio brodwaith ar ffabric gyda gwead gwastad (lle mae'r gwead yn gadarn). Os yw'n well gennych ddefnyddio ffrâm, gwnewch hynny ar bob cyfrif, ond i mi mae brodwaith yn ffordd o ymlacio ac felly mae'n llawer gwell gennyf ddal fy ngwaith yn naturiol ar fy nglin na dal fy nwylo i fyny yn anghyfforddus wrth ddefnyddio ffrâm. Pa ffordd bynnag y byddwch yn gweithio, mae'n rhaid gwneud yn siŵr fod y pwytho yn llyfn ac nad yw'n cael ei dynnu mewn unrhyw ffordd—cofiwch nad gwnïo i gadw rhywbeth yn gadarn ydych chi ond yn hytrach i greu darlun gydag edau.

Manion eraill

Siswrn bach brodwaith miniog.
Gwniadur.
Edau tacio sy'n wrthgyferbyniad i'r ffabric.
Chwyddwydr—mae'n gymorth mawr i'r rhai sy'n dechrau ar y gwaith

yma. Ar ôl ychydig mae'r nodwydd a'r llaw yn gweithio'n gytûn ac nid oes angen defnyddio cymaint arno.

Mae golau da o gymorth mawr, ac ar y dechrau mae'n well pwytho yng ngolau dydd, neu yng ngolau lamp arbennig.

Mae lliain glân sy'n ddigon mawr i allu rholio'r gwaith ynddo i'w gadw'n lân yn angenrheidiol. Mae'n syniad rholio'r ffabric o amgylch tiwb cerdyn er mwyn ei gadw'n llyfn ac osgoi gadael ôl plyg ar y sampler gorffenedig.

Lliw

Ni ddaeth lliw yn bwysig tan gyfnod y dadeni, pan ddaeth hi'n ffasiynol i gyfleu y byd fel yr oedd yn hytrach na brasluniau ar y wal. Tybed a oedd cysylltiad rhwng y wedd newydd hon ar arlunio a'r diddordeb mewn brodwaith a ddatblygodd yn yr un cyfnod—a thrwy hyn ddechrau'r arferiad o wneud sampleri?

Mae gan rai pobl ddawn naturiol i drin lliw, ond i eraill mae'n faen tramgwydd ac nid oes ganddynt syniad pa liwiau sy'n cydfynd â'i gilydd.

Nid oes yna reolau pendant ynglŷn â rheoli lliwiau, ond mae'n werth cofio rhai pwyntiau gan fod ein dewis o liw yn cyfleu ein teimladau am y byd o'n cwmpas. Fe ddangosir mewn sawl astudiaeth y gall lliw fod o gymorth wrth ddysgu ac wrth wella afiechyd. Dyma restr fer o liwiau a'r teimladau y maent yn eu cyfleu:

Coch—dewrder, cyffro
Melyn—llawenydd
Gwyrdd—ffrwythlondeb, balchder
Oren—ynni, tyndra
Fioled—hud a lledrith

Mae'n effeithiol cyd-ddefnyddio'r lliwiau a'r symbolau pan yn cynllunio'r sampler, e.e., sicrhau bod digon o wyrdd mewn patrwm sy'n dangos basgedaid o ffrwythau, gan fod y ddau'n cyfleu yr un peth.

Tra'n mynd ati i gynllunio, penderfynwch beth yw natur eich sampler a beth ydych eisiau ei bwysleisio. Gall lliw fod yn gymorth yn hyn o beth. Dylid defnyddio'r lliwiau mwyaf trawiadol ym mhatrwm canolig y sampler, gan gofio y dylid trefnu'r lliwiau fel bod y llygaid yn symud yn naturiol drwy'r cynllun. Ond ni ddylid dibynnu ar liw yn unig—mae'n rhaid i'r cynllun lifo hefyd. Defnyddiwch liw fel y bydd yn cyfrannu'n sylweddol at undod a datganiad y gwaith gorffenedig.

Mae sawl cynllun yn bosibl, felly dewiswch y lliwiau'n ofalus—nid yn unig yn ôl eich chwaeth bersonol ond yn ôl yr hyn sy'n mynd i weithio orau yn y sampler arbennig, e.e., go brin y byddech yn dewis gweithio sampler geni geneth fach i gyd mewn glas!

Mae rhai yn hoffi dewis eu lliwiau gyntaf ac wedyn penderfynu sut a lle i'w defnyddio. Mae dewis un lliw pendant ynghyd â'i liw gwrthgyferbynnol ar yr olwyn liw yn gwneud cynllun lliw llwyddiannus, e.e., sawl gwawr o las ynghyd ag oren.

Mae lliwiau'r edau yn gallu edrych yn wahanol iawn gan ddibynnu ar gefndir y ffabric, e.e., mae glas ar gefndir gwyn yn edrych yn hollol wahanol i'r un glas ar gefndir du neu lwyd. Gall hyn newid eto wrth ychwanegu coch neu wyrdd at y glas. Mewn brodwaith mae lliw y cefndir yr un mor bwysig â lliwiau'r edau, a gan fod y dewis o liw yn rhywbeth personol iawn, mae'n bwysig dewis lliwiau sy'n apelio atoch chi cyn belled â phosibl.

Mae dewis eang o liwiau ar gael, yn enwedig yn yr edau hollt cotwm, ac mae gan DMC ddewis o dros 400 o wahanol liwiau. Gallwch gael syniadau ynglŷn â sut i ddewis lliwiau i sicrhau cynllun lliw llwyddiannus trwy edrych ar ffabric dillad, llenni a phapur wal, neu hwyrach trwy edrych ar waith arlunydd. Rwyf wedi cael llawer o syniadau o'r llyfr *The Grammar of Ornament* gan Robert Owen, rhagflaenydd i William Morris. Ar dudalen 14 a 15 rwyf wedi rhifo edau DMC sy'n cyd-fynd â'r lliwiau mae ef wedi eu dewis i liwio gwahanol batrymau. Mae llawer cyfuniad diddorol iawn fel y gwelwch, a sawl un na fyddwn byth yn meddwl eu huno. Er hynny maent yn cydfynd yn llwyddiannus iawn.

Lliw yw'r nerth sy'n dylanwadu'n union ar yr enaid. Felly dewisiwch yn ofalus!

Grwpiau lliw yn *The Grammar of Ornament*.

Rhif y DMC	
906	
900	
729	Eidalaidd
931	
841	
900	
350	Adeni
676	
922	
830	
598	
926	
3328	Illuminated
761	
470	
937	
924	
817	
989	Gwydr lliw
729	
927	
316	
597	
350	Twrci
371	
Du	
312	
350	Moresque
370	
676	

730	
347	
834	
320	Celtaidd
3328	
319	
611	
926	
563	
562	
760	Indiaidd
347	
336	
370	
322	
320	Persiaidd
347	
371	
524	
3363	
370	Arabaidd
374	
934	
436	
926	
300	
402	
501	
796	
989	
300	Aifft
783	
987	

Pwythau

Fel y soniais eisoes, pwrpas gwreiddiol y sampler oedd nodi gwahanol fathau o bwythau a phatrymau. Dyma restr o'r pwythau a nodir mewn rhigwm mewn llyfr gan John Taylor yn yr 16eg ganrif:

For Tent—worke, rise'd—worke, laid worke, frost—worke, net—worke
Most curious Purles, or rare Italian cutworke.
Fine Ferne—stich, Finny—stich, New—stich, and Chain—stich,
Braude Bred—stich, Fisher—stich, Irish—stich and Queen—stich,
The Spanish—stich, Rosemary—stich and the Mosse—stich,
The Smarting Whip—stich, Back—stich and the Crosse—stich.
All these are good and we must allow
And these are everywhere in practice now.

Dydi enwau llawer o'r pwythau ddim wedi newid. Mae'n ddiddorol mai'r pwythau a enwir olaf yw'r rhai a ddefnyddir ar sampleri heddiw, ond yn anffodus mae llawer o'r rhai eraill wedi mynd yn angof, ac nid oes modd eu hadnabod ymhlith y llif o enwau a ddefnyddir yn awr.

Yn yr un modd ag y newidiodd pwrpas a chynllun sampler, cafwyd llai o bwythau o ran nifer ac amrywiaeth, nes erbyn diwedd y ddeunawfed ganrif croesbwyth, pwyth cefn a phwyth rhedeg dwbl oedd i'w gweld ar y mwyafrif o sampleri, fel y rhai sy'n bodoli heddiw.

RHESTR O BWYTHAU

Croesbwyth—dyma un o'r pwythau hynafol sy'n tarddu o oes y Coptic. Defnyddir ef ledled y byd ac ymddengys ar ddillad traddodiadol trigolion nifer o wledydd. Mae'n bwyth syml ond hynod effeithiol sy'n cael ei ddefnyddio fel rhan o frodwaith Assisi, Sisilaidd ac Arenzzo.

Er bod croesbwyth yn cael ei ddefnyddio mewn sawl gwlad, mae gan bob un ei dull arbennig ei hun sy'n nodweddiadol ohoni. Croesbwyth yw'r pwyth mwyaf poblogaidd o blith yr holl bwythau a ddefnyddir mewn sampleri heddiw. Dylai'r ail drawsbwyth o'r groes orwedd yr un ffordd drwy'r gwaith, os nad oes eisiau creu effaith cysgodion.

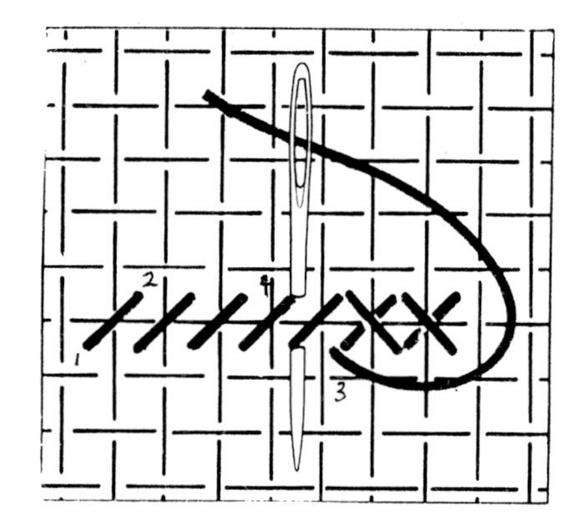

Gellir gweithio croesbwyth tri-chwarter dros ddwy edau o'r ffabric er mwyn cael siâp arbennig i'r patrwm.

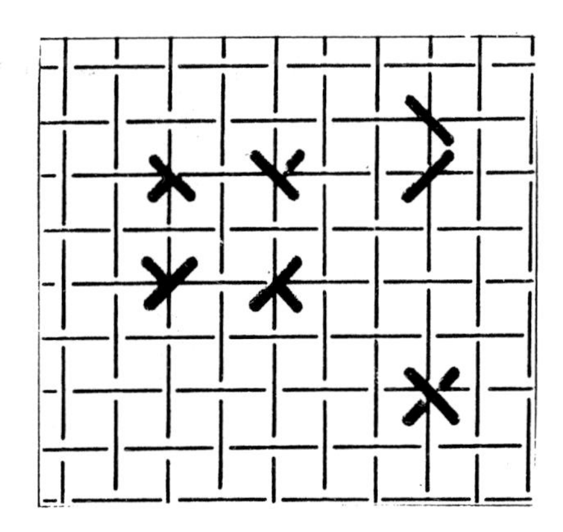

Croesbwyth ddwyochrog—mae'n hanfodol gweithio'r pwyth yma pan fydd y ddwy ochr o'r brodwaith yn y golwg. Mae'n dipyn mwy cymhleth i'w weithio na'r croesbwyth arferol gan fod yna bedair siwrnai yn lle dwy ar draws y ffabric i gwblhau'r pwyth.

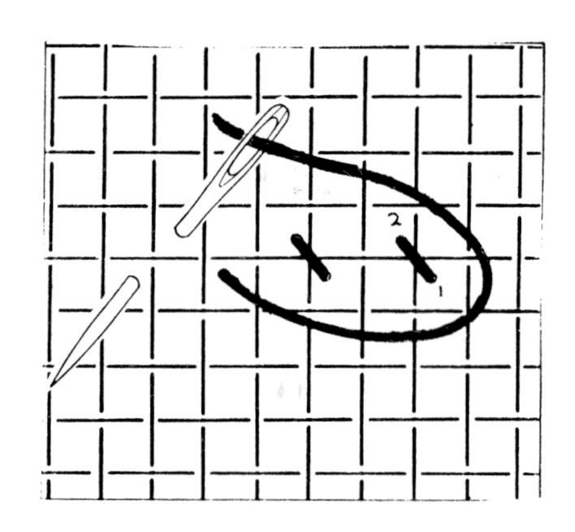

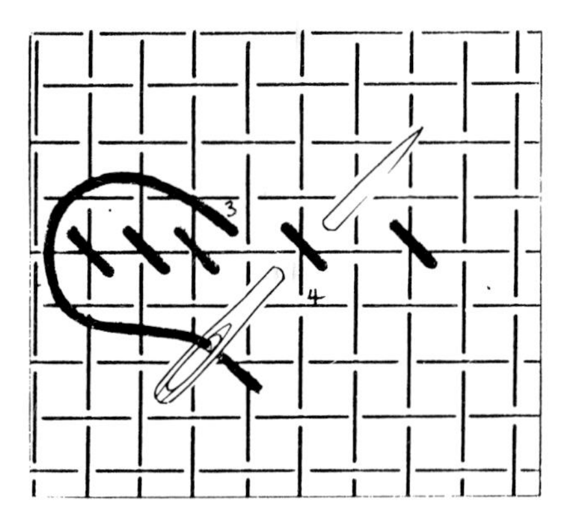

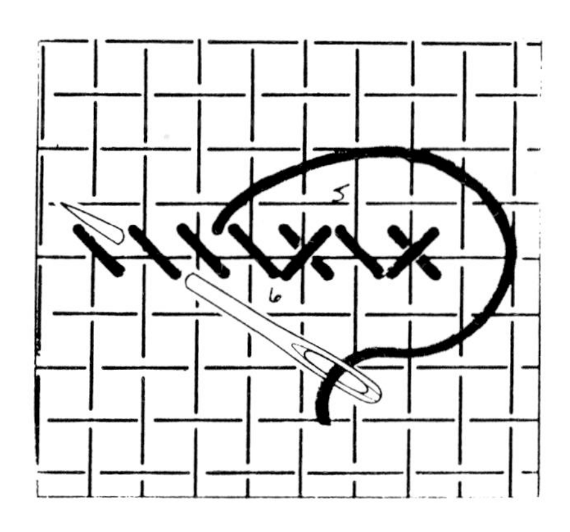

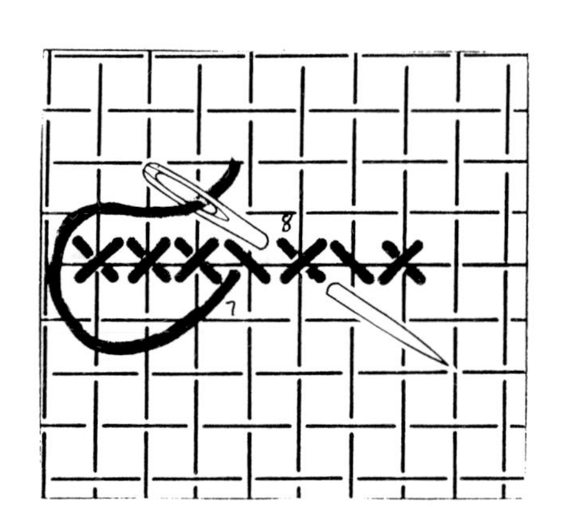

Croesbwyth Slaf—pwyth sy'n bosibl ei ddefnyddio un ai fel border neu linell, yn ogystal ag i lenwi siâp. Mae un fraich o'r croesbwyth yn cael ei weithio dros ddwywaith cymaint o edau â'r llall.

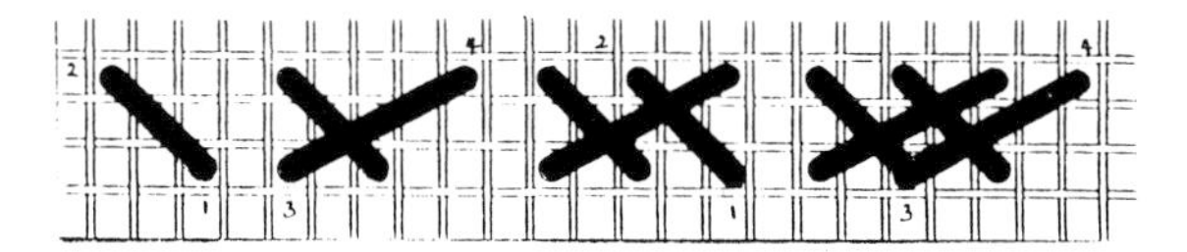

Croesbwyth Montenegrin—o'r ardal o'r un enw yn yr Eidal. Gellir defnyddio'r pwyth yma fel border neu linell ac hefyd i lenwi gofod. Ar yr olwg gyntaf mae'r pwyth yma'n debyg i groesbwyth Slaf ond gyda hwn mae bar yn cael ei weithio at i fyny rhwng pob pwyth.

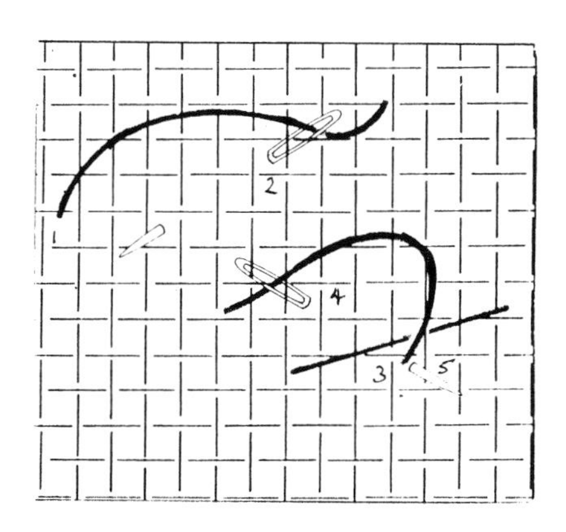

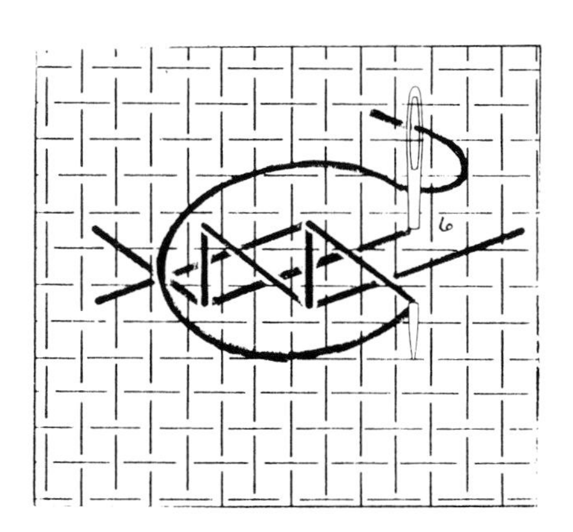

Croesbwyth Eidalaidd—cyfuniad o groesbwyth a'r pwyth pedairochrog. Mae'r groes yn cael ei gweithio a'r sgwâr o'i hamgylch yn cael ei bwytho. Gellir tynnu'r pwythau i gael effaith gwaith agored.

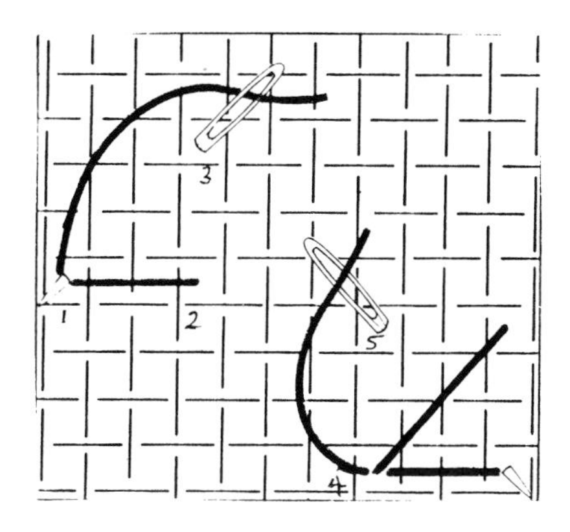

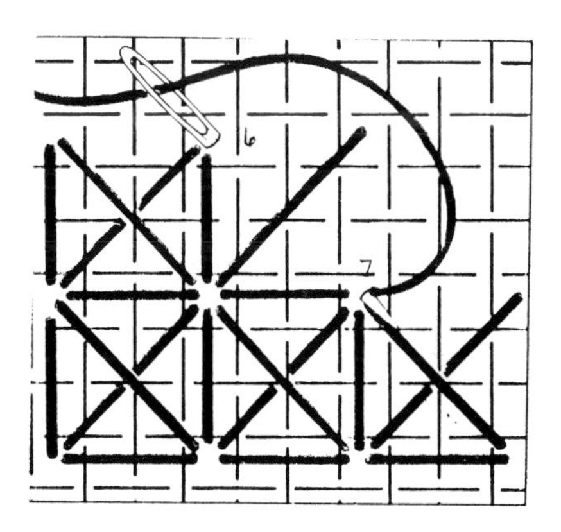

Croesbwyth Smyrna—cyfuniad o ddwy groes yw'r pwyth yma, gyda'r gyntaf yn cael ei gweithio yn y dull arferol a'r ail groes ar ei phen ar draws y gyntaf. Gellir ei gweithio i lenwi darn o'r cynllun neu i greu patrwm sgwariog drwy ddefnyddio dau liw, neu eu lleoli gyda gofod rhyngddynt.

Gellir defnyddio croesbwyth yn sylfaen i frodwaith arall hefyd, fel yn y gwaith Assisi ac Arenzzo.

Croesbwyth Smyrna

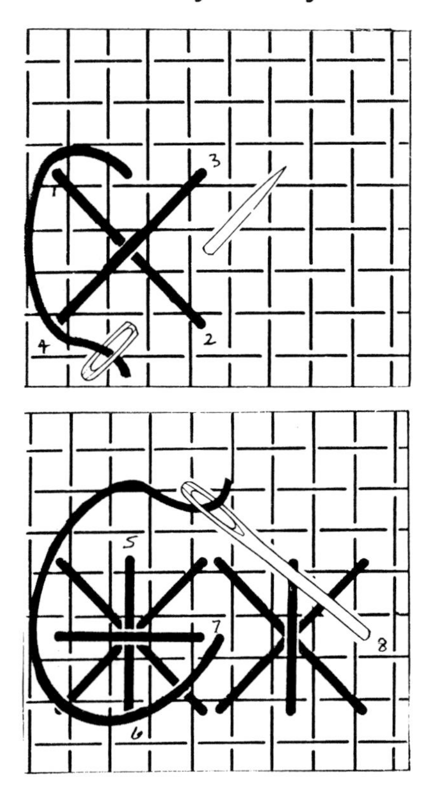

Brodwaith Assisi—cyfuniad o groesbwyth a phwyth Holbein yw'r gwaith hwn, sy'n tarddu o ardal Assisi yn yr Eidal. Yn y gwaith hwn, llenwir cefndir y cynllun gyda chroesbwyth—y trawsbwythi i gyd yn gorwedd yr un ffordd mewn lliw rhwd neu las, gan adael y patrwm yn ffabric y cefndir. Fe amlinellir patrwm gyda phwyth Holbein mewn gwawr dywyllach o'r lliw. Patrymau adar neu anifeiliaid a geir yn ddi-eithriad, yn unol â chariad San Ffransis o Assisi tuag at greaduriaid.

Brodwaith Arenzzo—ar yr olwg gyntaf mae'r gwaith yma'n debyg i waith Assisi, yn deillio o'r un wlad gydag adar ac anifeiliaid yn rhan o'r cynllun bron yn ddi-eithriad. Mae'r cefndir yn cael ei weithio mewn croesbwyth fel gwaith Assisi, ond mewn brodwaith Arezzo y patrwm sy'n cael ei bwytho a'r cefndir yn cael ei adael.

Hollie Point—lês wedi ei weithio gyda nodwydd wnïo yw'r pwyth yma sy'n deillio o'r Oesoedd Canol. Daw'r enw Hollie Point o'r hen enw *Holy* i nodi ei gysylltiad eglwysig, a byddai bob amser wedi ei weithio mewn edau wen a lliain, a'r patrymau yn rhai Beiblaidd gydag arwyddion sanctaidd. Yn ystod cyfnod Iago I (1603-25), y Piwritaniaid oedd y rhai cyntaf i ddefnyddio'r math yma o frodwaith i addurno'u dillad, yn enwedig dillad babi a dillad bedydd.

Pwyth Rhedeg Dwbwl neu **Bwyth Holbein**—pwyth rhedeg cyffredin sy'n cael ei weithio mewn dwy ffordd—yn gyntaf ymlaen ac wedyn yn ôl. Er ei fod yn debyg i bwytho'n ôl, mae'n llawer mwy twt a gwastad. Gellir gweithio'r pwyth yma ar draws, i fyny ac yn groeslinol. Dylai'r pwyth yma edrych yn union yr un fath o'r ddwy ochr. Credir i'r pwyth yma gael ei gyflwyno i'r wlad yma gan Catrin o Aragon, Sbaen, sef gwraig gyntaf Harri VIII, a dyma pam y cyfeirir ato fel gwaith Sbaenaidd. Fe'i defnyddid i addurno llu o ddillad yn oes y Tuduriaid a chafodd yr enw Holbein am ei fod yn ymddangos yn aml ac yn amlwg yn narluniau Hans Holbein.

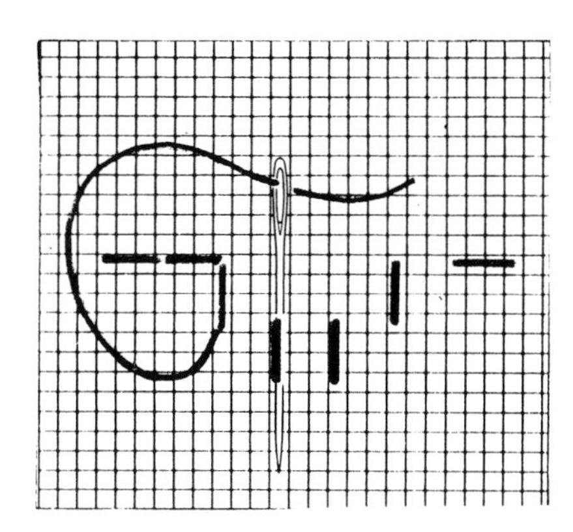

Pwyth Sidan—pwyth syml ond effeithiol a ddefnyddir i liwio a chuddio rhan o'r cynllun a'r edau. Mae'n ymddangos yn bur hawdd, ond rhaid ei ymarfer dipyn er mwyn cael pob pwyth i orwedd yn llyfn ac yn agos at ei gilydd. Gellir amrywio hyd y pwyth, ond mae pwyth rhy hir yn dueddol o fod yn llac a blêr. Gellir gweithio'r pwyth at i fyny, ar draws neu'n groeslinol, a newid cyfeiriad er mwyn i'r golau daro'n wahanol arno.

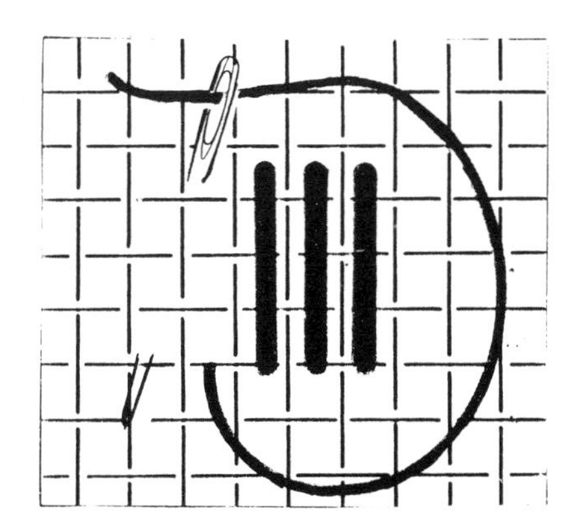

Pwyth Rice—pwythcroes gyda phwythi yn croesi'r corneli. Gellir defnyddio'r pwyth yma yn lle'r croesbwyth, lle mae angen gorchuddio yn y cynllun. Mae'n bosibl defnyddio dwy edau wahanol—un ai un dew ac un denau, neu un loyw ac un heb fod yn loyw er mwyn creu gwead diddorol.

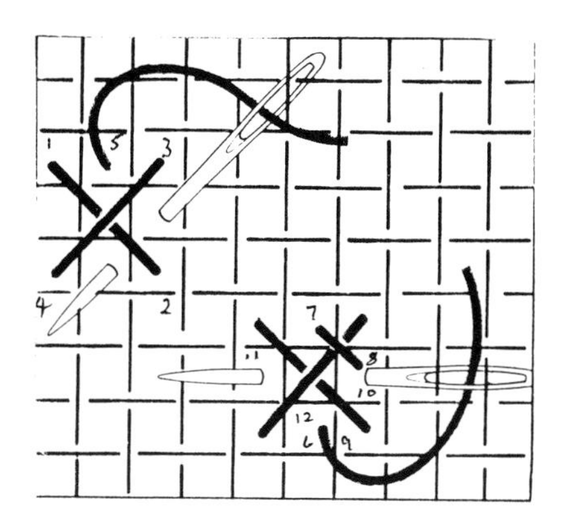

Pwyth Roco—rhaid gweithio'r pedwar pwyth yn syth i fyny, i gyd i un twll, a'u clymu fesul un dros edau a ffabric. Mae'r pwythau yn camu i ffurfio hanner-cylch (gwelir yn y darlun).

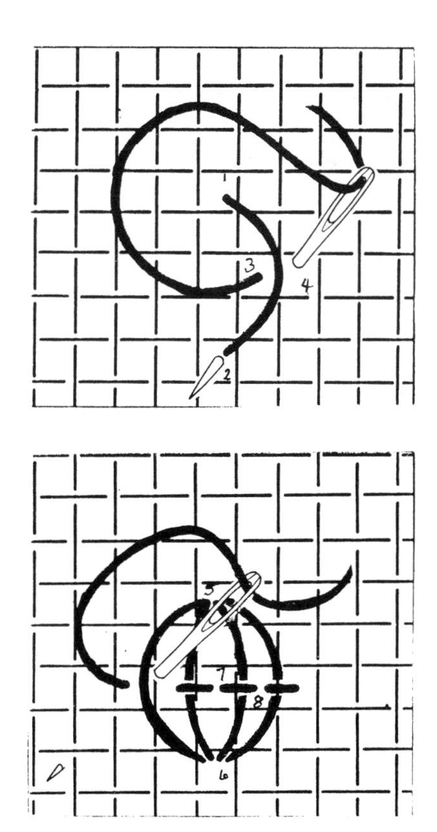

Gellir ei ddefnyddio i lenwi darn o'r patrwm neu eu gweithio fesul un ac ymuno â phwyth Holbein i greu border diddorol.

Pwyth Hemio—defnyddir y pwyth yma mewn sawl gwaith tynnu ac mae'n ddull hynafol iawn o wneud ffabric sy'n debyg i lês. Gweithir y pwyth yma mewn edau gref (oherwydd fod angen tynnu) o'r un lliw â'r ffabric, ond mae'n bosibl defnyddio edau liwgar i greu effaith a phatrwm gwahanol. Mae'n bwysig paratoi'r ffabric yn ofalus trwy dynnu nifer penodedig o edau o wead y ffabric cyn dechrau pwytho gyda sawl gwahanol bwyth hemio.

Gwelir yn llun Sampler Band tudalen 42.

Gwehyddu Nodwydd *(Needle Weaving)*—dyma bwyth arall y gellir ei ddefnyddio i addurno ar ôl tynnu edau o'r ffabric. Mae gan y pwyth yma fantais o fod nid yn unig yn addurniadol ond hefyd o fod yn gadarn ac o wisgo'n dda. Ar ôl tynnu nifer penodedig o edau o'r ffabric gellir defnyddio naill ai edau gref o'r un lliw â'r cefndir neu un o liw arall i weu bariau trwy edau'r ffabric.

Eto, gwelir yn llun Sampler Band tudalen 42.

Pwyth Pedairochrog—gweithir y pwyth yma trwy greu blwch sgwâr dros nifer penodedig o edau'r ffabric, gan ddefnyddio naill ai edau o'r un lliw neu o liw arall. Gellir ei ddefnyddio mewn llinell neu forder, neu i lenwi darn o'r patrwm. Trwy dynnu'r pwyth yma wrth ei weithio fe ellir creu gwaith agored.

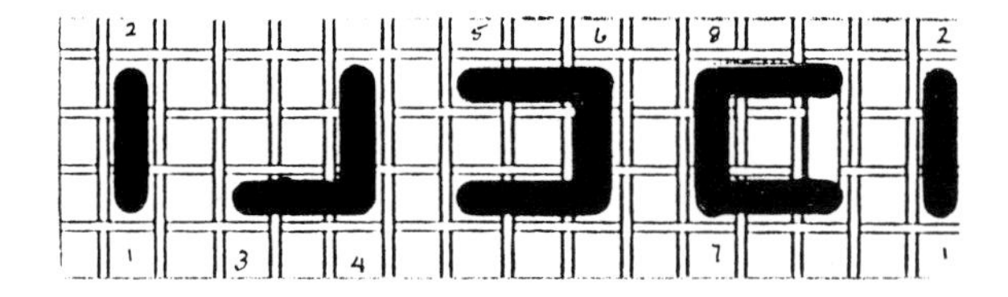

Algerian Eye—ar yr olwg gyntaf mae'r pwyth yma'n edrych yn debyg i bwyth croes dwbl, er nad yw'r pwythau yn croesi o gwbl. Mae hwn yn cael ei weithio trwy wneud pwyth syth dros nifer o edafedd y ffabric. Daw'r nodwydd i'r canol ac wedyn allan ar ongl ac i'r dde dros yr un nifer o bwythau. Gwneir hyn mewn siâp sgwâr gan ddod yn ôl i'r canol bob tro, a thwll bach yn cael ei greu yn y canol.

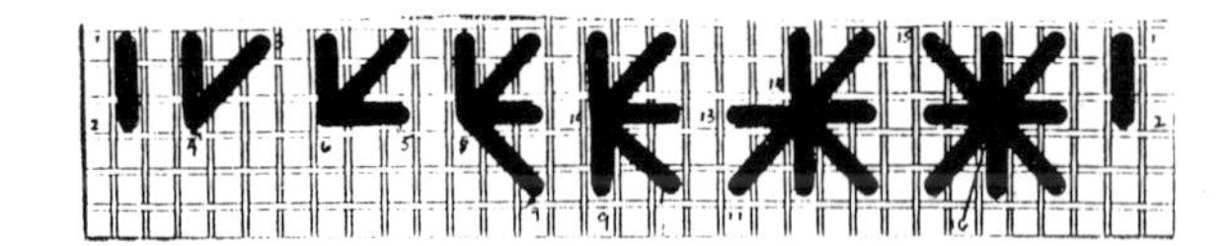

Diamond Eye—fe weithir y pwyth yma yn yr un modd â'r Algerian Eye, ond bod siâp diamwnt yn hytrach na siâp sgwâr, gyda'r pwythau syth i fyny a syth i lawr yn hirach na'r lleill.

Fe ddefnyddir y pwythau yma i weithio'r Sampleri Band ar dudalennau 42-43.

Symbolau

Mae hen sampleri'n frith o symbolau a phatrymau sy'n arwyddocaol o nodweddion arbennig, ac mae'n bosibl cyfleu llawer wrth eu defnyddio fel rhan o'r cynllun. Felly cyn mynd ati i gynllunio eich sampler, mae'n bwysig gwneud ychydig o ymchwil i'r symbolau hyn.

BLODAU

Fe ddechreuwn gyda'r **Carnasiwn** a ddaeth yn wreiddiol o'r Dwyrain Canol a'i enwi'n Carnis (cnawd yn Lladin) am mai lliw cnawd oedd y rhai gwreiddiol. Yn ôl y chwedl, mae'r blodau yn tyfu lle disgynnodd dagrau Mair ar Galfaria, ac oddi yma y daw'r symbol o gariad mamol, tra bod y blodyn a'r blagur yn symbolaidd o'r Fadonna a'i phlentyn.

Tiwlip—daeth y blodyn yma o Bersia, lle tyfai'n wyllt. Yn ôl y chwedl, syrthiodd llanc ifanc o'r wlad hon o'r enw Ferhad mewn cariad gyda geneth, ond gwrthododd hi ef ac aeth i'r anialwch i farw o dorrcalon. Fel yr oedd yn wylo a'r dagrau yn disgyn ar y tywod, dyma nhw'n troi yn flodyn, sef y tiwlip. O ganlyniad, mae'r blodyn yma'n arwydd o gariad perffaith.

Rhosyn Coch—yn arwyddocaol o waed y merthyr, a'r pum blodyn ar ei goes yn symbolaidd o bum briw'r Iesu. Mae'r rhosyn felly yn symbol o gariad, harddwch, llawenydd a distawrwydd.

Lili—mae'r lili yn cynrychioli'r Gwaredwr, weithiau'r saint, purdeb, diniweidrwydd a gwyryfdod

Fioled—symbol o wyleidd-dra, gostyngeiddrwydd a'r felan

Eirlys—gobaith

Blodyn Melyn Mair—yr haul, llawenydd

Sawdl y Fuwch *(Cowslip)*—agoriadau (allweddi) San Pedr

Traed y Golomen *(Columbine)*—y Drindod Sanctaidd

Gwyddfid—gostyngeiddrwydd

Mae'r **Cennin Pedr,** yr **Ysgallen** a'r **Feillionen** yn symbolau o Gymru, yr Alban ac Iwerddon, ac felly'n cael eu defnyddio i bwysleisio gwladgarwch trigolion y gwledydd rheiny.

Llysieuyn y Drindod (Pansi)—y Drindod

Mae cyfuniad o wahanol nifer o flodau ar un goes yn symbolau ynddynt eu hunain:

Un blodyn a blagur—Mair a'r baban Iesu

Tri blodyn—y Drindod

Pedwar blodyn—y pedwar Apostol

FFRWYTHAU

Y **Mefus** yw'r ffrwyth perffaith oherwydd nad oes ganddo ddraenen na charreg, a'i fod hefyd yn feddal a melys. Mae'r blodyn yn wyn ac felly'n symbol o ddiniweidrwydd. Mae tri phigyn i'r ddeilen, sy'n symbolaidd o'r Drindod, a gan ei fod yn tyfu ar y llawr ni ellir ei gamgymryd am ffrwyth y gas goeden wybodaeth. Oherwydd hyn, mae'r mefus yn symbol o gyfiawnder perffaith. Mae lle i gredu mai'r **Ellygen** (Peren) yw'r ffrwyth gwaharddedig yn hytrach na'r afal ac oherwydd hyn prin iawn y mae'n ymddangos ar hen sampleri.

Ymddengys yr **Afal** ar lawer o sampleri, naill ai ar ben ei hun neu ar goeden. Ar sawl sampler o'r Amerig fe ddangosir saith afal i gynrychioli'r saith pechod marwol ar nifer o goed.

Pomgranad—gobaith a bywyd tragwyddol. Gwelir y ffrwyth yma ar hen ddodrefn, yn enwedig rhai a oedd yn anrhegion priodas.
Olewydd—hedd a chyfeillgarwch
Ceirios—ffrwyth y Nefoedd
Grawnwin—Crist
Mês—cryfder
Basgedaid o ffrwythau—ffrwythlondeb
Helygen Wylofus—*(Weeping Willow)*—anhapusrwydd, tristwch.

Mae coed ar sampler yn symbol o anfarwoldeb, felly mae coeden deulu *(family tree)* yn datgan parhad y teulu, ac os oes adar o boptu'r coed dengys fod yr had yn cael ei gario ymlaen.

ANIFEILIAID AC ADAR

Alarch—bywyd a goleuni
Cath—segurdod, mursendod
Carw—addfwynder
Ceffyl—nerth dynol
Ceiliog—Crist, a'r da dros y drwg
Ci—ffyddlondeb, dicter
Colomen—(negesydd) heddwch a thrugaredd
Crwban—cryfder, arafwch
Cwch Gwenyn—gobaith, dyfalbarhad
Cwningen—daioni
Eryr—cryfder, ffydd, arucheledd
Gafr—synhwyrusrwydd
Gwenyn—purdeb
Gŵydd—hurtrwydd
Hwyaden—ffyddlondeb priodasol
Neidr—person pechadurus
Paen—balchder
Parot—person siaradus
Pili Pala—hapusrwydd, anfarwoldeb, chwit-chwatrwydd
Tylluan—doethineb, y diafol
Ysgyfarnog—nerfusrwydd
Haul—dyn
Lleuad—dynes
Seren—wyth pigyn—Seren Bethlem.
chwe phigyn—Seren Dafydd.
pum pigyn—y seren a gyhoeddodd eni Crist
Môr-forwyn—balchder
Coron—tragwyddoldeb. I ferched dibriod, fe olygai ddiweirdeb
Calon—cariad
Cannwyll—gweddi
Awrlestr—troad amser
Angor—sefydlogrwydd
Cwch—gobaith
Eglwys—ffydd; y to—cariad
y drws—ufudd-dod
y llawr—gostyngeiddrwydd
y ffenestri—croeso
pedair wal—cyfiawnder; pwyll, cymedroldeb a gwroldeb mewn adfyd

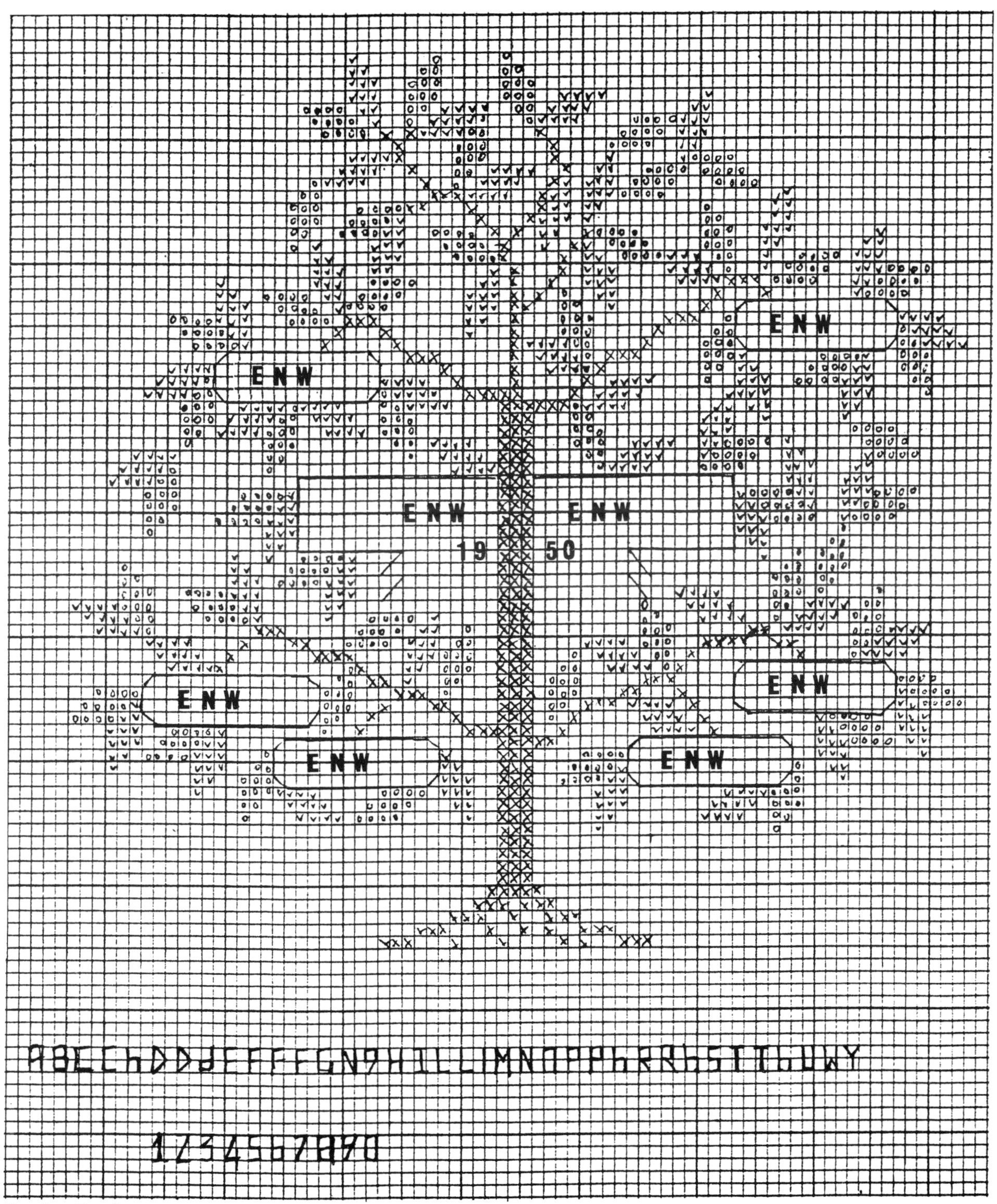

Coeden Deulu

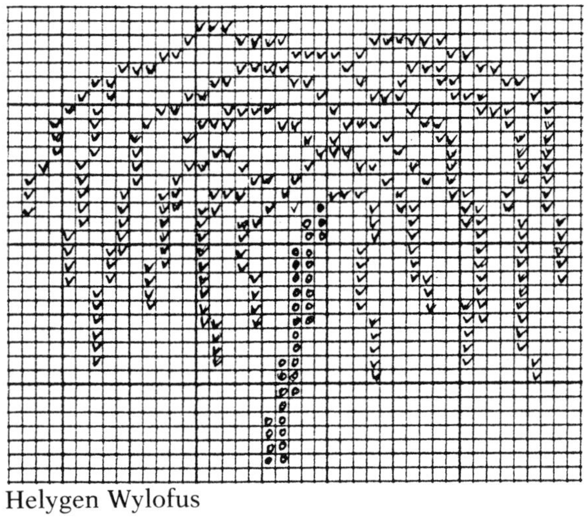

Helygen Wylofus

Derwen

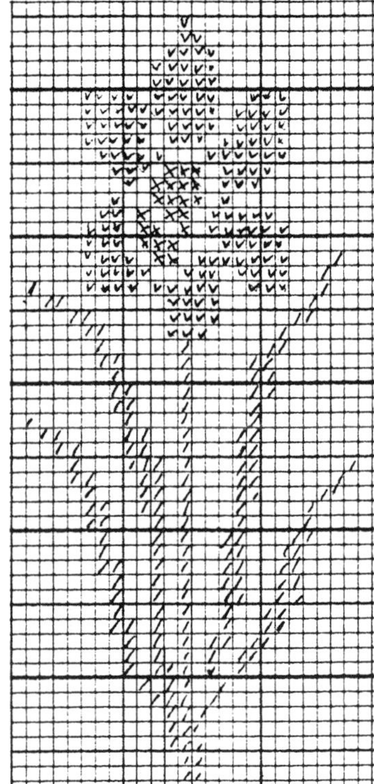

Cennin Pedr

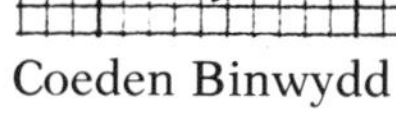

Coeden Binwydd

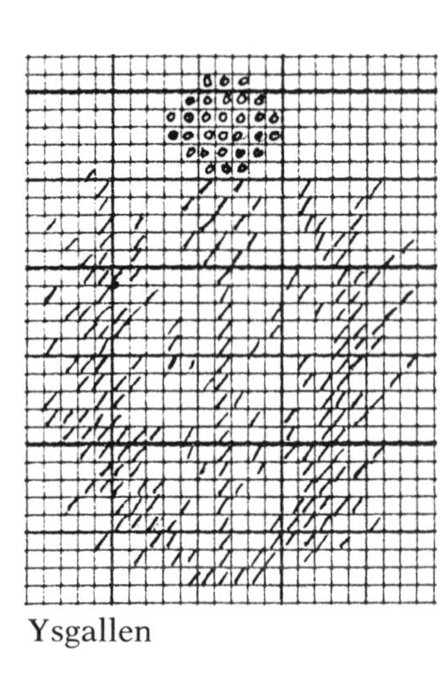

Ysgallen

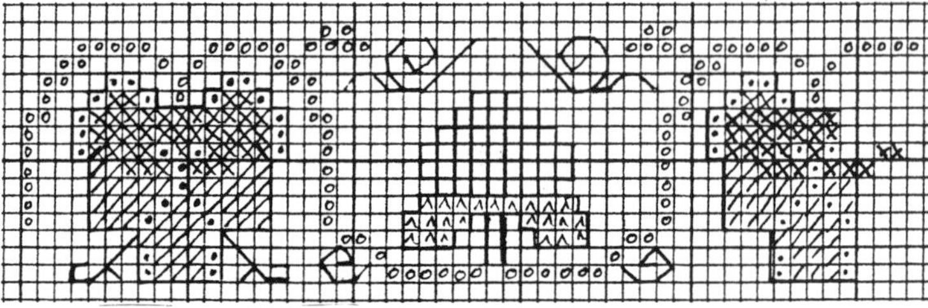

Pansi a Mefus (17 ganrif)

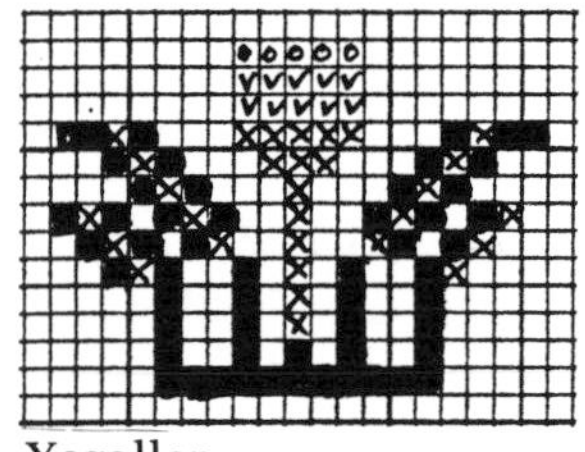

Ysgallen

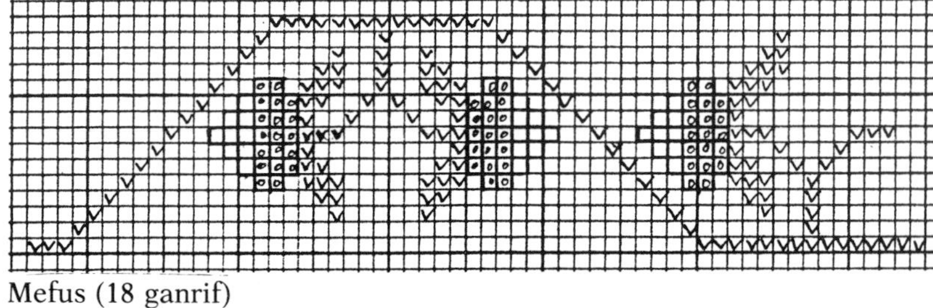

Mefus (18 ganrif)

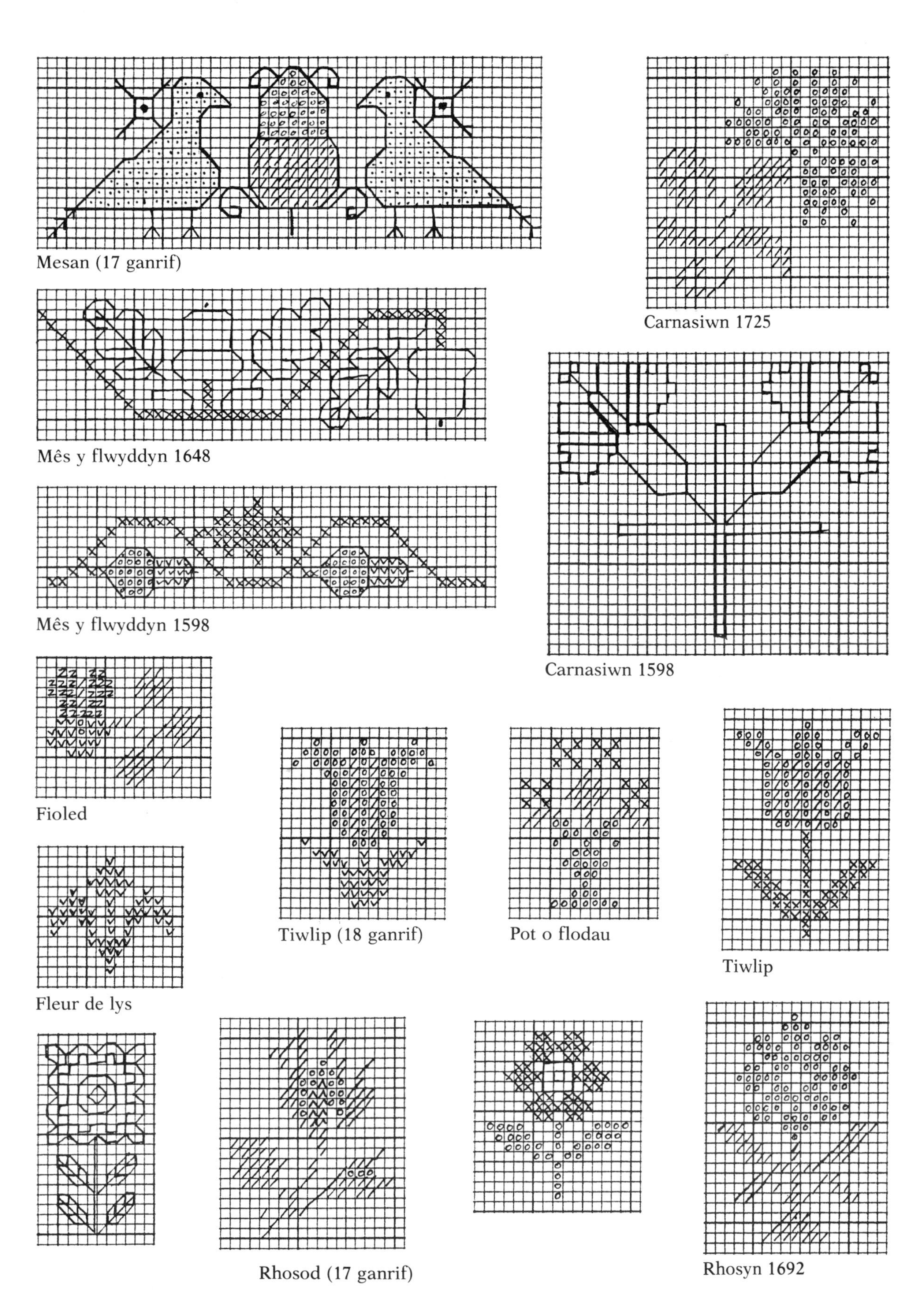
Mesan (17 ganrif)
Carnasiwn 1725
Mês y flwyddyn 1648
Mês y flwyddyn 1598
Carnasiwn 1598
Fioled
Tiwlip (18 ganrif)
Pot o flodau
Tiwlip
Fleur de lys
Rhosod (17 ganrif)
Rhosyn 1692

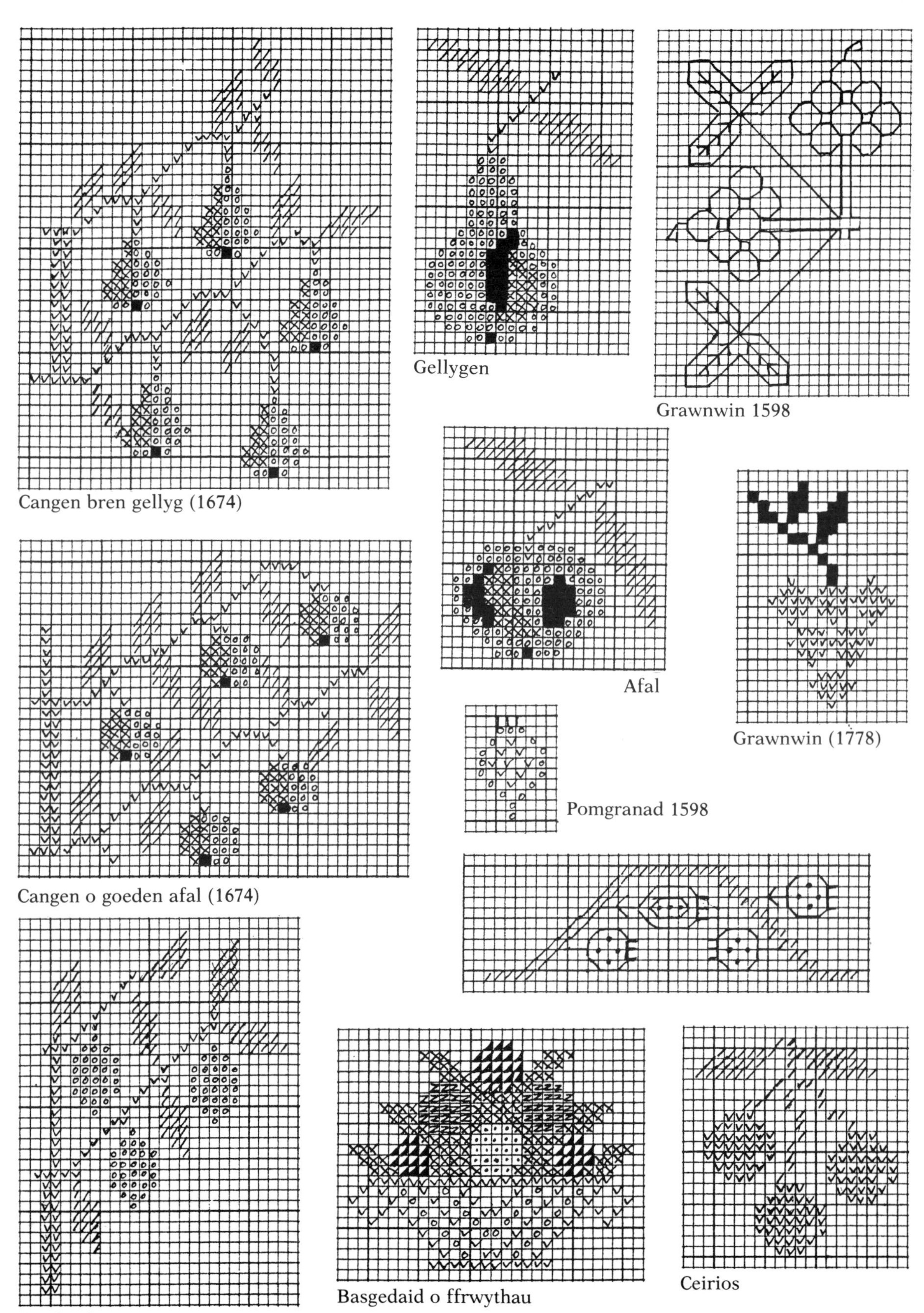

Cangen bren gellyg (1674)

Gellygen

Grawnwin 1598

Afal

Grawnwin (1778)

Pomgranad 1598

Cangen o goeden afal (1674)

Coeden lemwn

Basgedaid o ffrwythau

Ceirios

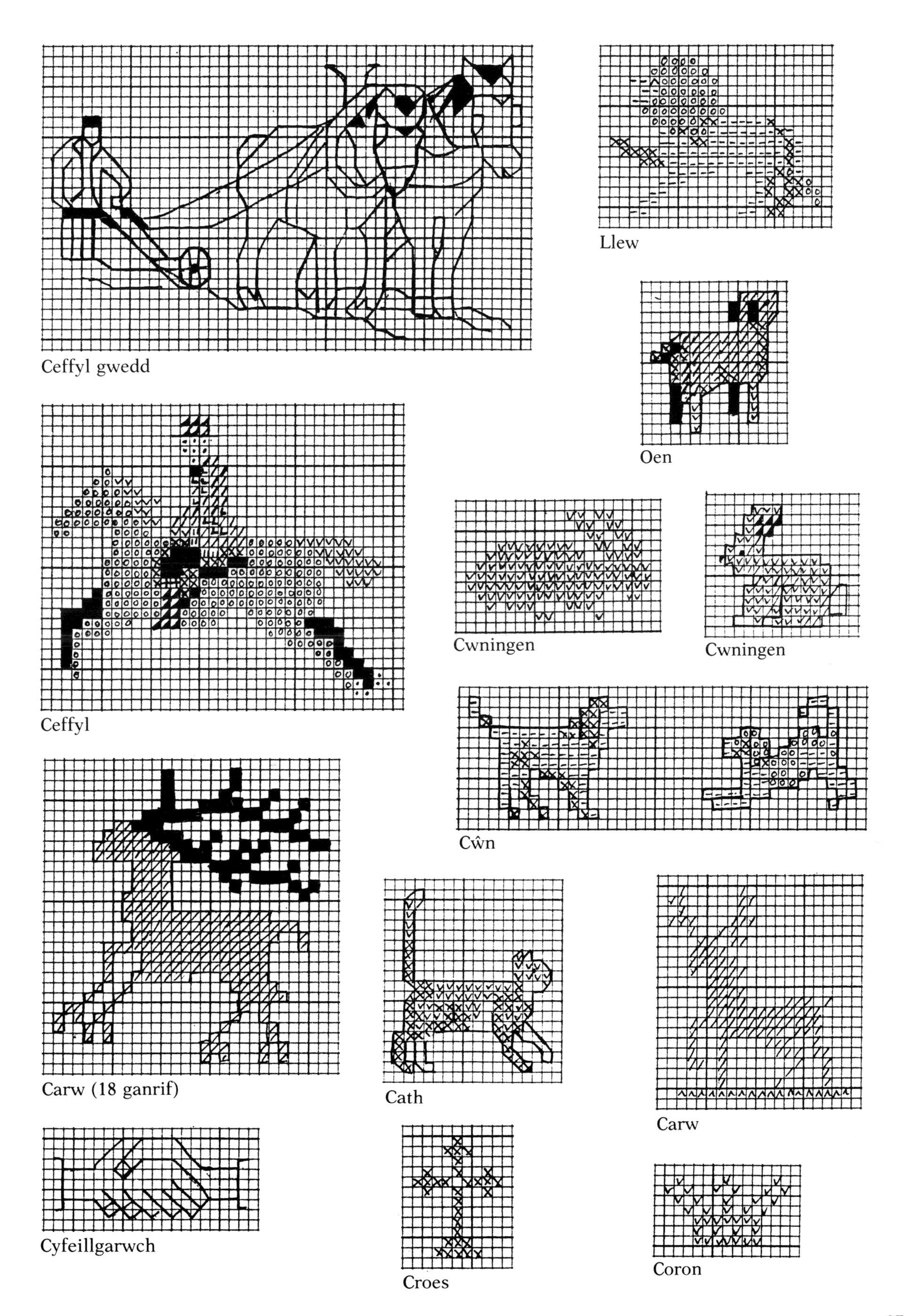
Ceffyl gwedd
Llew
Oen
Ceffyl
Cwningen
Cwningen
Cŵn
Carw (18 ganrif)
Cath
Carw
Cyfeillgarwch
Croes
Coron

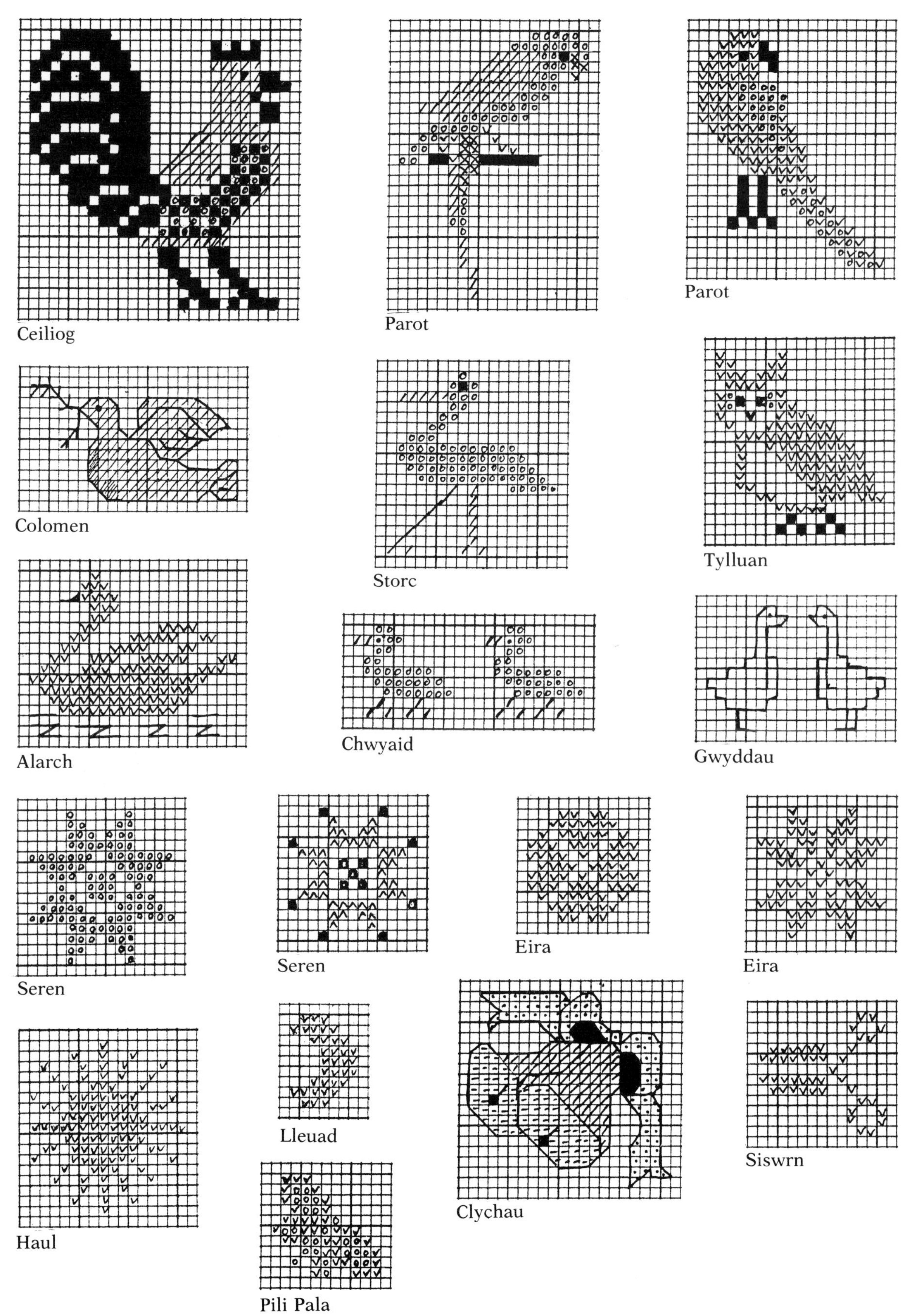
Ceiliog
Parot
Parot
Colomen
Storc
Tylluan
Alarch
Chwyaid
Gwyddau
Seren
Seren
Eira
Eira
Lleuad
Clychau
Siswrn
Haul
Pili Pala

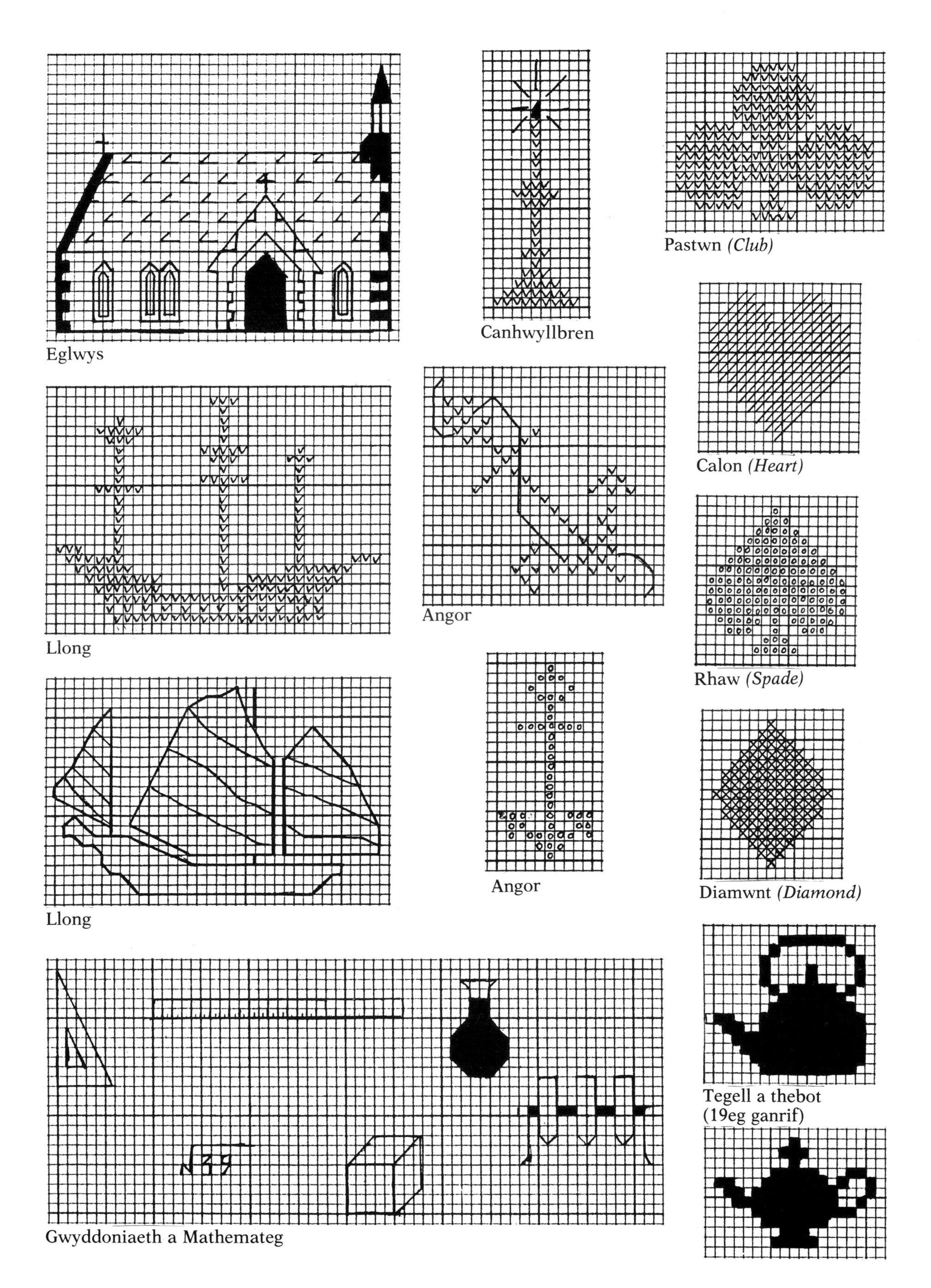
Eglwys
Canhwyllbren
Pastwn *(Club)*
Calon *(Heart)*
Llong
Angor
Rhaw *(Spade)*
Llong
Angor
Diamwnt *(Diamond)*
Tegell a thebot
(19eg ganrif)
Gwyddoniaeth a Mathemateg

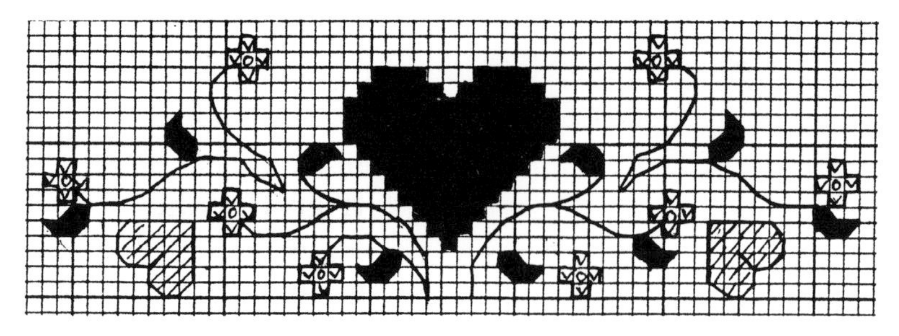

Calon

Calon

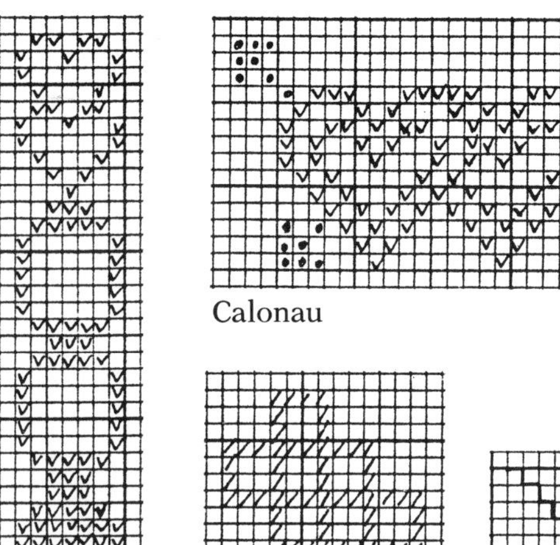

Calonau

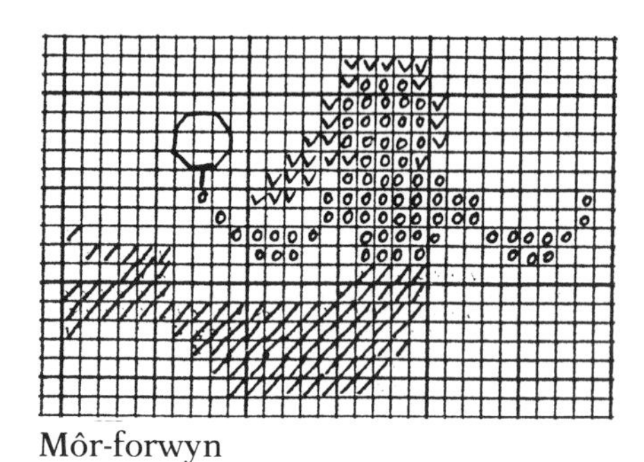

Môr-forwyn

Llwy Garu

Cwlwm agored i gariadon

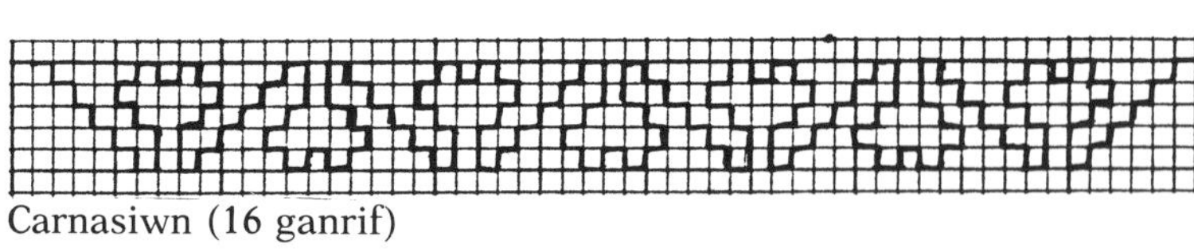

Carnasiwn (16 ganrif)

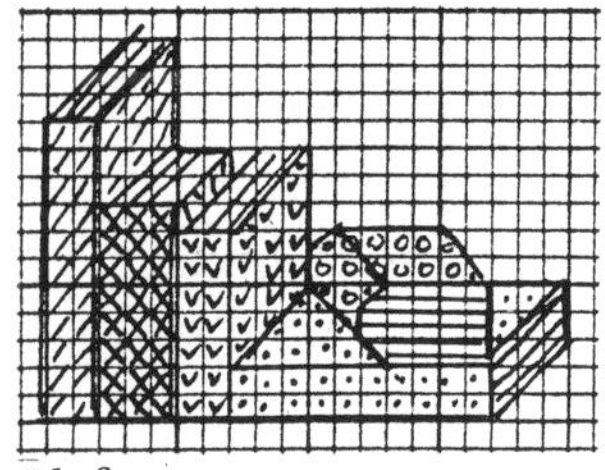

Llyfrau

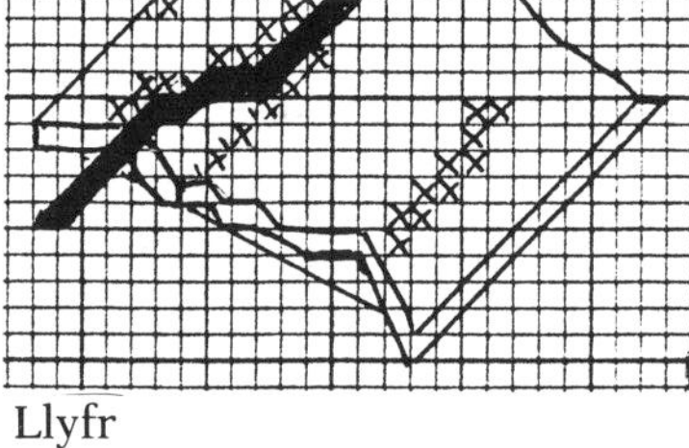

Llyfr

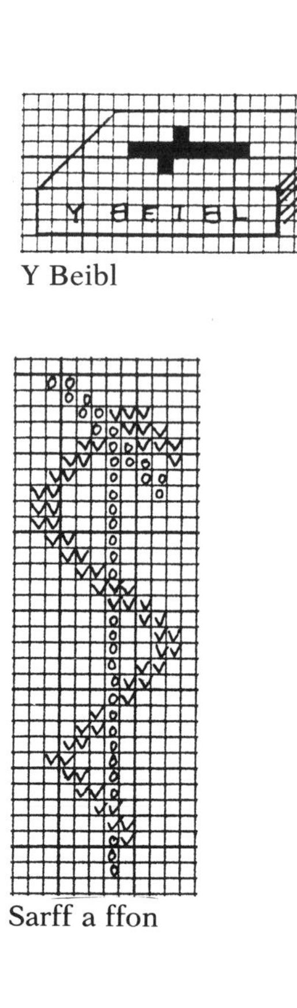

Y Beibl

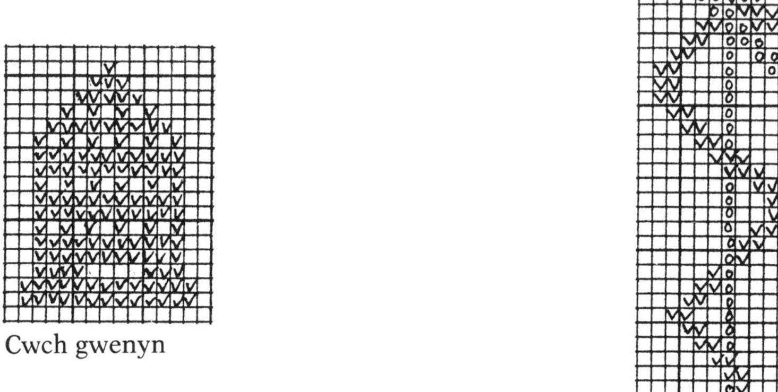

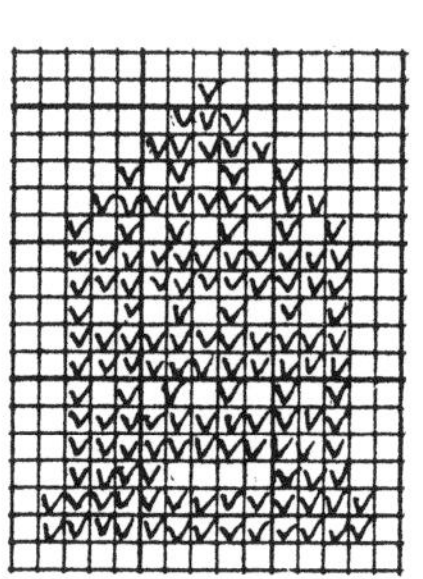

Cwch gwenyn

Sarff a ffon

Cynllunio

Cyn dechrau cynllunio mae'n rhaid i chi benderfynu pam ac i bwy mae'r sampler i fod—naill ai i ddathlu achlysur arbennig i'w roi fel anrheg neu un personol i chi neu'ch teulu. Cyn mynd allan i brynu nwyddau eisteddwch i lawr gyda phensil a phapur a gwnewch fraslun o'ch sampler. Bydd maint y sampler yn dibynnu ar y dewis o batrymau a'r testun yn ogystal â'r dewis o ffabric—y manaf y wead, lleiaf y maint—bydd y dewis o wead yn ddibynnol iawn ar gyflwr eich golwg!

Mae'n bosibl prynu llyfr o daflenni o bapur graff yn ogystal â thaflenni mawr unigol—mi fyddaf yn defnyddio'r ddau fath. Yn y llyfr graff byddaf yn cynllunio'r manion batrymau y byddaf eisiau eu defnyddio ar y sampler gan gofio bod y sgwâr lleiaf yn gyfartal ag un neu ddwy edau o'r ffabric, yn ddibynnol ar eich dewis o wead.

Os ydych am ddefnyddio patrwm sydd yn barod ar graff mewn llyfr neu daflen rhaid ei ailgopïo i'r llyfr graff er mwyn gallu marcio a'i ganoli heb amharu ar y gwreiddiol.

Pan fyddaf yn cynllunio patrwm fy hun byddaf yn darlunio ar y papur graff ac yna ei sgwario. Ond os nad oes gennych hyder i wneud hyn, gallwch gopïo llun.

—(a) defnyddio papur clir, sydd gyda sgwariau arno, ei roi ar y llun i'w gopïo ac yna nodi'r nifer o sgwariau yn y llyfr graff. Mae'n bosibl prynu pecyn yn cynnwys nifer o dudalennau sy'n rhoi amrywiaeth o nifer o sgwariau i'r fodfedd.

neu (b) gallwch ddefnyddio papur dargopïo i drosglwyddo'r cynllun i'r papur graff ac yna sgwario'r cynllun fel bo'r angen.

Pan yn cynnwys englyn, pennill neu gwpled yn eich cynllun mae'n rhaid hefyd ei ysgrifennu ar bapur graff. Byddaf yn dechrau gyda'r llinell hiraf ac wedyn gosod y llinellau eraill—gan gofio bod pob gair yn rhan o'r cynllun.

Mae englynion yn creu problemau—trwy fod y llinell gyntaf, fel arfer, yn llawer hirach na'r tair arall, a bod patrwm arbennig ei hun i'r englyn. Wrth ysgrifennu llinell gyntaf ar y papur graff gadewch dri neu bedwar sgwâr rhwng pob gair, a rhoi pum sgwâr rhwng pob gair yn y llinellau eraill. Fel hyn mae'n bosibl cadw siâp yr englyn heb darddu ar y cynllun.

Ar ôl casglu'r patrymau ag unrhyw enwau i'w defnyddio, mae'n amser nawr i droi at y daflen fawr o bapur graff. Ar hwn gwnewch amlinelliad o faint y sampler ac wedyn marciwch y canol ar draws ac i fyny. Os oes englyn neu bennill rhowch hon ar y siart yn gyntaf neu nodwch lle mae'r patrwm mwyaf i fynd.

Wrth weithio popeth yn y llyfr graff yn gyntaf mae'n bosibl rhoi bocs o amgylch pob patrwm a cyfri'r sgwariau fel nad oes rhaid ond gwneud braslun tu mewn i'r bocs o'r maint iawn ar y daflen fawr o'r graff. Wedyn gallwch wnïo'r patrwm yn syth o'r llyfr graff, sy'n llawer haws ei drin na'r siart mawr. Fe fydd y patrwm gennych yn y llyfr graff ar gyfer ei ddefnyddio eto.

Fel arfer mae eisiau amgylchynu'r holl batrymau bach ayb gyda border. Gallwch ddefnyddio un patrwm i'r border o amgylch neu wneud defnydd o ddau wahanol forder—un i lawr yr ochrau a'r llall ar draws y pen uchaf a'r gwaelod. Mae'n bosibl defnyddio pedwar border gwahanol o'r un lled a rhoi patrwm bach yr un fath ym mhob cornel i greu undod. Mae rhoi border yn y corneli yn unig yn gallu bod yn effeithiol.

Fel y gwelwch mae sawl ffordd o osod y patrymau bach a'r borderi i greu cynllun ac er bod rhai patrymau wedi eu creu eisoes y ffordd yr ydych chi yn eu trafod sydd yn gwneud y sampler yn unigryw. Dyma pam y dylech bob amser wnïo eich enw a'r dyddiad y gorffennwyd brodio'r sampler ar waelod eich gwaith.

ENGHREIFFTIAU O SAMPLERI LLIW LLAWN

Sampler 1 Y WINLLAN

Pennill enwog Saunders Lewis gyda border o rawnffrwyth a dail. Wedi ei weithio ar ffabrig 'Linda' lliw ifori sydd â 27 edau i'r fodfedd. Y lliwiau yw DMC 3042, 3041, 3740 a 502.

Sampler 2 SIART ACHAU

Yr wyddor a rhifau gyda choeden yn dangos perthynas aelodau o'r teulu â'i gilydd. Border hynafol o rosynnau (sy'n golygu cariad) a phatrymau mân yn dangos diddordebau'r cwpwl a phennill wedi'i ysgrifennu'n arbennig iddynt gan Ieuan Davies. Wedi ei weithio ar ffabrig 'Hardanger' lliw ifori sydd â 22 edau i'r fodfedd. Nid wyf wedi cyfyngu ar y dewis o liwiau.

Sampler 3 CASTELL CRICIETH

Anrheg ymddeoliad Gwyliwr y Glannau sy'n dangos castell Cricieth, y bad achub a chwpled pwrpasol gan W.D.Jones. Defnyddiwyd craeon ffabrig i liwio rhannau o'r cynllun yn hytrach na'i lenwi â phwythau gan y buasai hynny wedi ei wneud yn drwm yr olwg. Wedi ei weithio ar ffabrig 'Joblan' llwyd sydd â 25 edau i'r fodfedd.

Sampler 4 Y PARCH. STANLEY OWEN

Dyma gynllun tipyn yn wahanol. Mae border o gwlwm Celtaidd a choeden bywyd yn cysylltu'r man lle maged Mr Owen—y Coleg ar y Bryn—castell Cricieth a'r capel lle y bu'n weinidog am dros hanner can mlynedd, ynghyd â mân batrymau i ddangos ei ddiddordebau. Ysgrifennwyd yr englyn iddo gan Geraint Ll.Owen. Wedi ei weithio ar ffabrig 'Linda' lliw ifori sydd â 27 edau i'r fodfedd. Edau lliwiau Celtaidd DMC 926, 924, 347, 3328, 834, 611, 320 a 319.

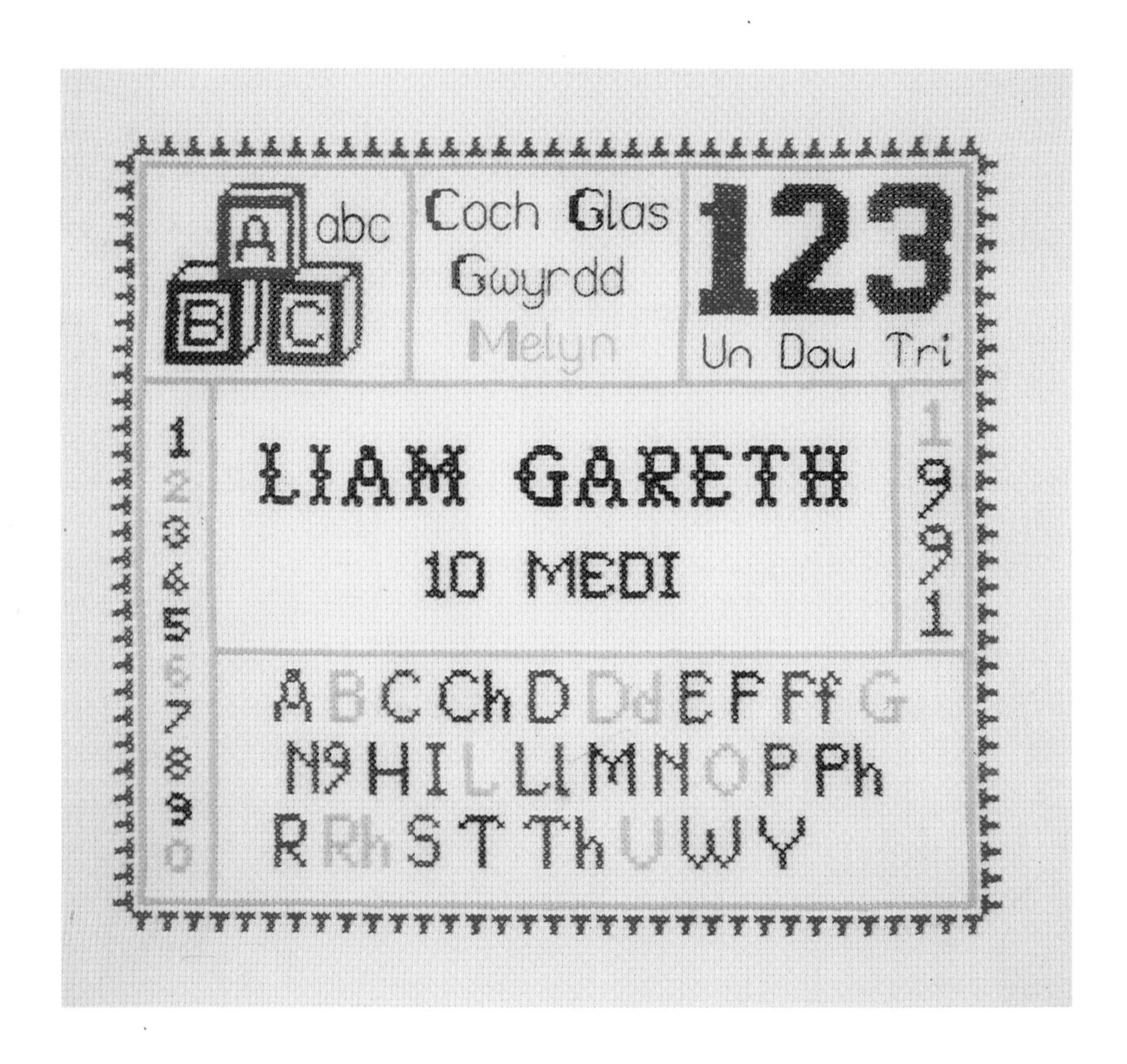

Sampler 5

Anrheg i blentyn yn dangos yr wyddor, rhifau, ei enw a'i ddyddiad geni. Wedi ei weithio ar ffabrig 'Aida' gwyn sydd â 14 o flociau i'r fodfedd. Lliwiau DMC 666—coch, 797—glas, 700—gwyrdd a 444—melyn.

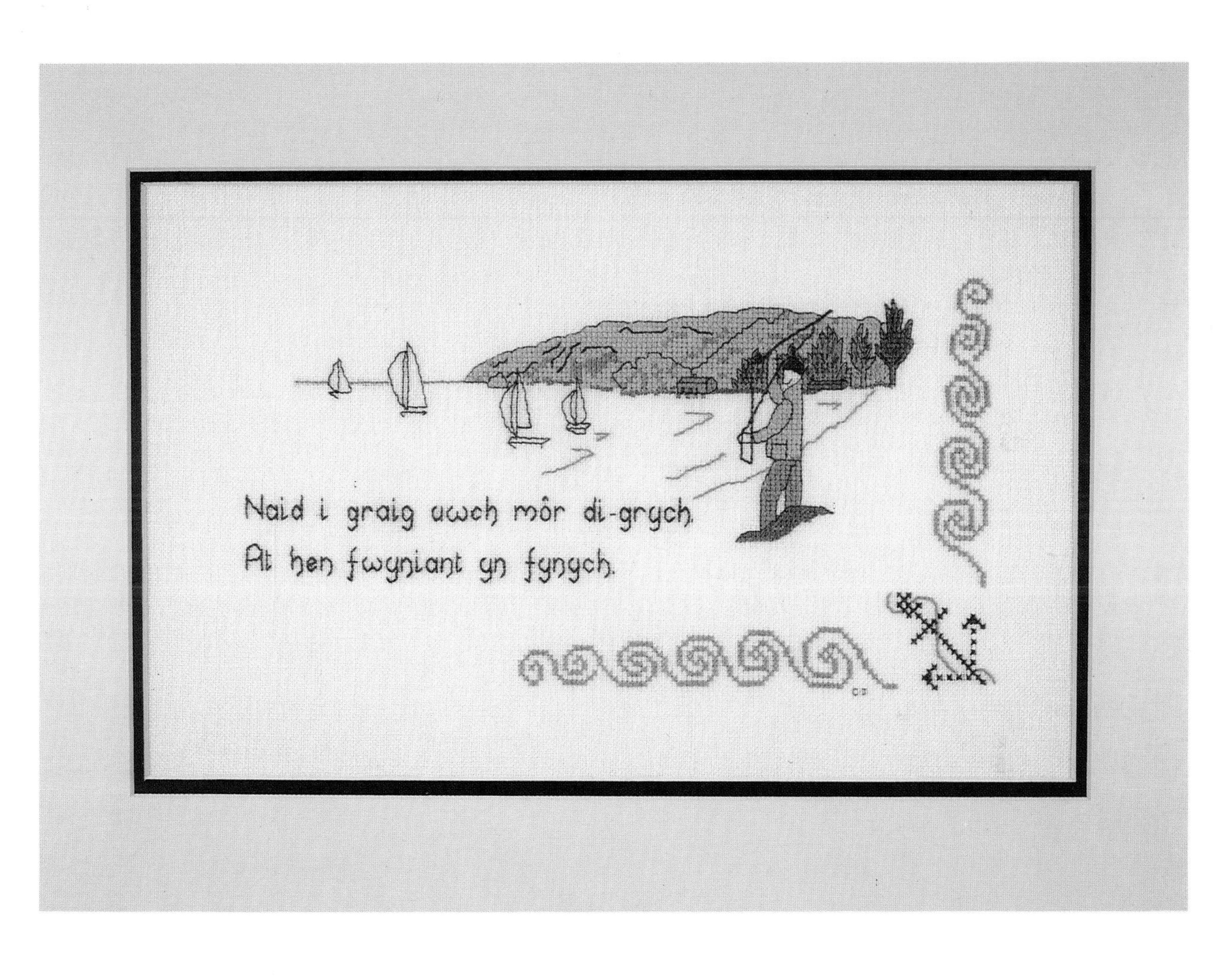

Sampler 6
Anrheg deunaw oed i fachgen sy'n hoff o bysgota. Mae'n dangos trwyn Llanbedrog gyda physgotwr a chwpled. Wedi ei weithio ar liain lliw ifori sydd â 28 edau i'r fodfedd. Lliwiau DMC 924, 926 a 927.

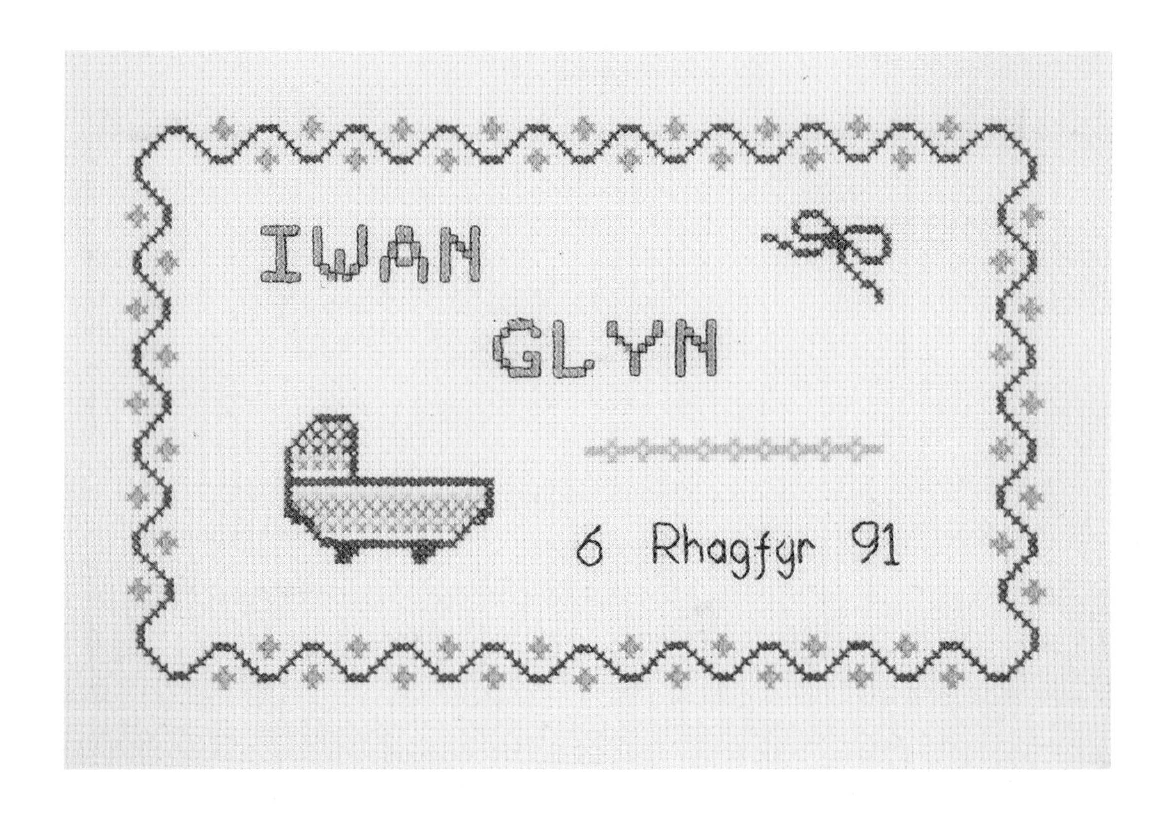

Sampler 7

Anrheg geni babi yn dangos ei enw a'i ddyddiad geni. Wedi ei weithio ar ffabric 'Aida'—14 o flociau i'r fodfedd, lliw hufen. Defnyddiwyd tair gwawr o las DMC—312, 334 a 3325 ynghyd ag ychydig o felyn. Mae'n bosib hefyd ei weithio mewn pinc DMC 3328, 760 a 761 a'r melyn.

Sampler 8
Brodwaith o eneth fach yn ei gwisg morwyn briodas. Mae'n bwysig gweithio'r gwallt mewn edau mor agos â phosibl i liw gwallt yr eneth, ac er mwyn iddo edrych yn effeithiol gellid cyfuno dau edau o liwiau tebyg i'w gilydd yn y nodwydd ar yr un pryd.

Sampler 9

Dyma enghraifft o sampler band wedi ei weithio yn union yr un modd â'r rhai gwreiddiol o'r unfed ganrif ar bymtheg, yn cynnwys llinellau o wahanol batrymau a phwythau. Mae'n cynnwys 'gwaith gwyn', gwaith 'tynnu a thorri', gwaith Assisi ac Arenzo, gyda chwpled gan Tudur Aled a dyfyniadau o'r Llyfr Diarhebion.

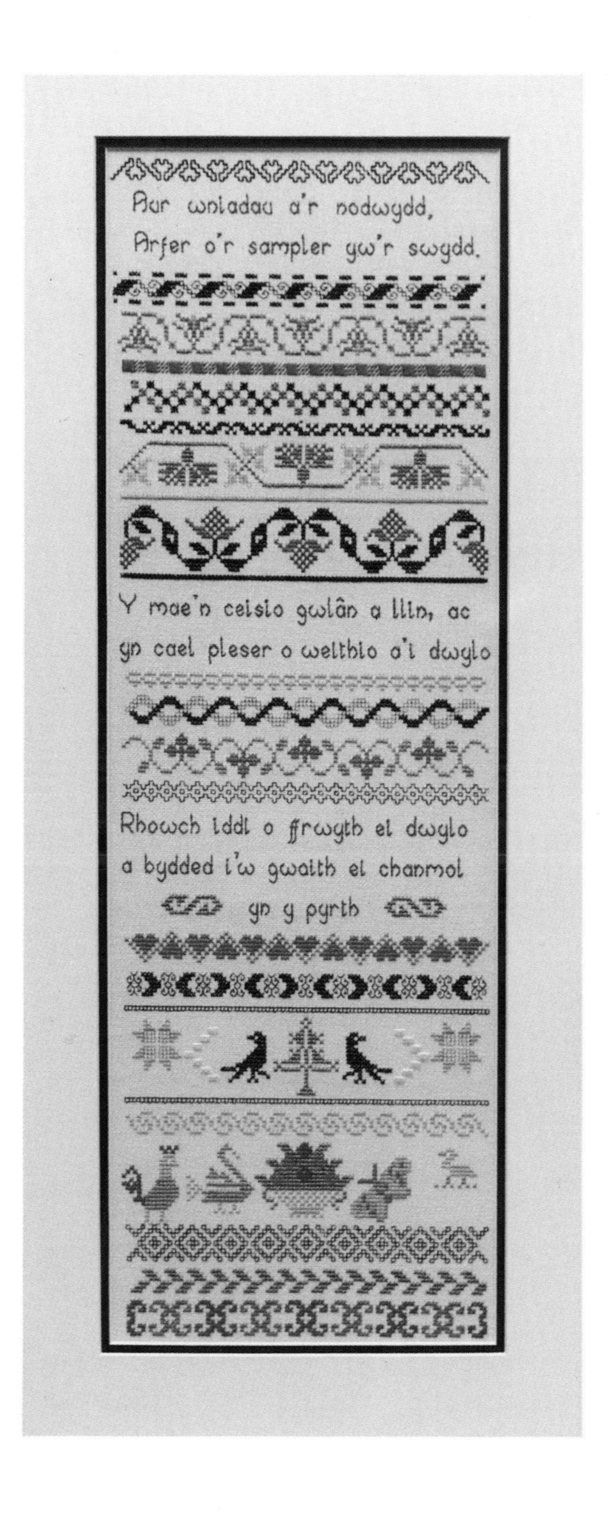

Sampler 10
Enghraifft arall o Sampler band wedi ei weithio yn y lliwiau Celtaidd DMC 924, 926, 347, 3328, 834, 611, 320, a 319.

Sampler 11

Dyma wyddor Geltaidd wedi ei gweithio o fewn border, ynghyd â chwlwm ac adar Celtaidd. Yn y cefndir mae croesbwyth wedi cael ei weithio mewn lliw sydd wawr yn dywyllach na'r ffabrig er mwyn creu effaith o gwiltio. Defnyddiwyd lliwiau o'r grŵp Celtaidd, sef DMC 924, 926, 347, 3328, 834, 611, 320 a 319. Y ffabrig oedd 'Linda' lliw hufen gyda 27 edau i'r fodfedd.

Sampler 12 SAMPLER PRIODAS

Dyma sampler wedi ei weithio mewn edau o'r un lliw â dillad y forwyn briodas. Mae sawl cwlwm Celtaidd o amgylch enwau'r cwpwl, dyddiad y briodas, darlun o'r eglwys, llwy garu ac englyn gan Geraint Ll.Owen. Defnyddiwyd ffabrig 'Linda' gyda 27 edau i'r fodfedd.

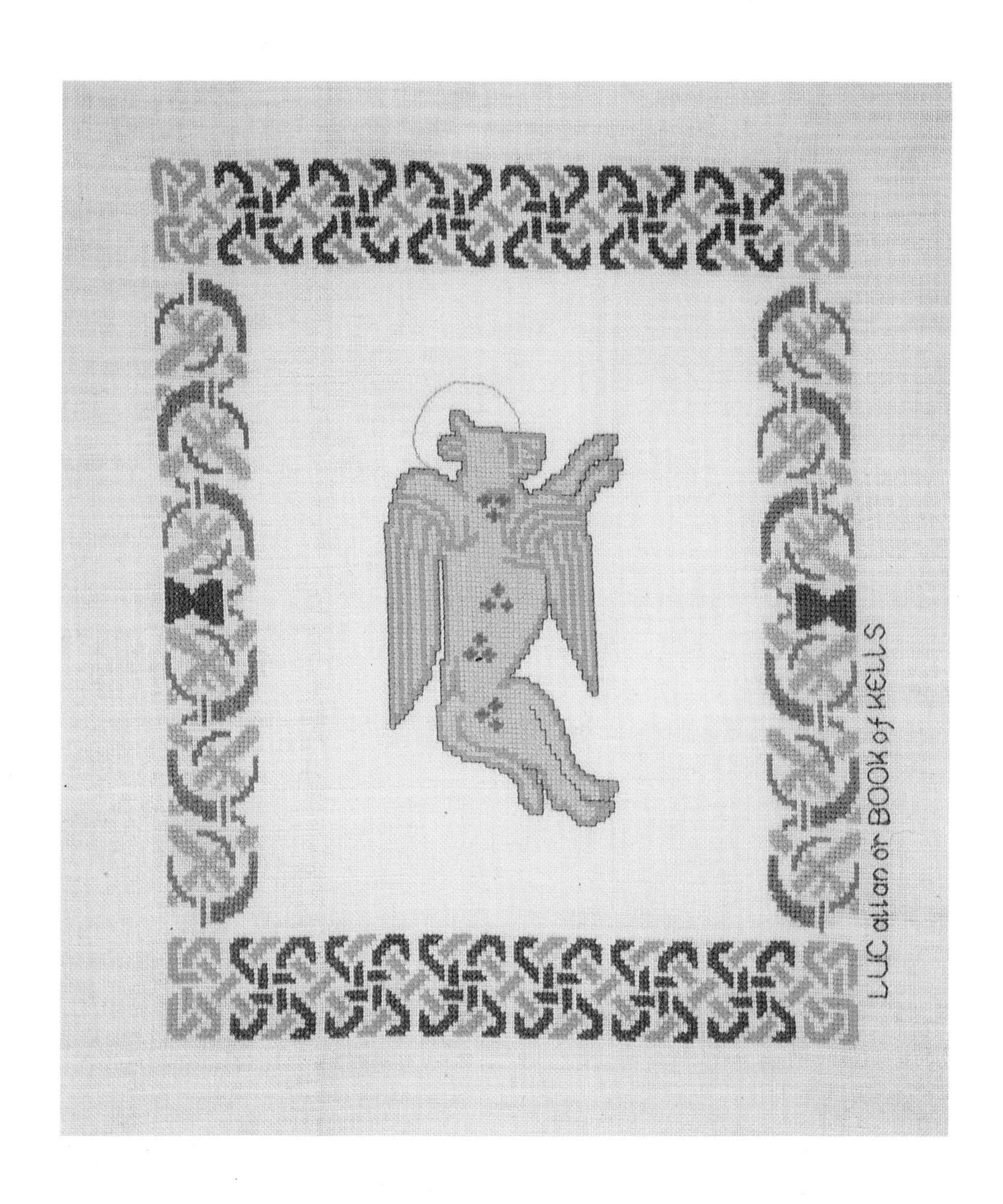

Sampleri 13 ac 14

Dyma ddau sampler o set o bedwar brodwaith yn dynodi'r apostolion Luc—y bustach, ac Ioan—y llew. Mae'r ddau wedi eu gweithio o fewn border o gwlwm Celtaidd a choeden bywyd. Defnyddiwyd lliain lliw ifori gydag edau lliwiau DMC 930, 931, 932, 834, 720, 920, 722 a 921.

ENGHREIFFTIAU O GYNLLUNIAU

Priodas/Penblwydd Priodas

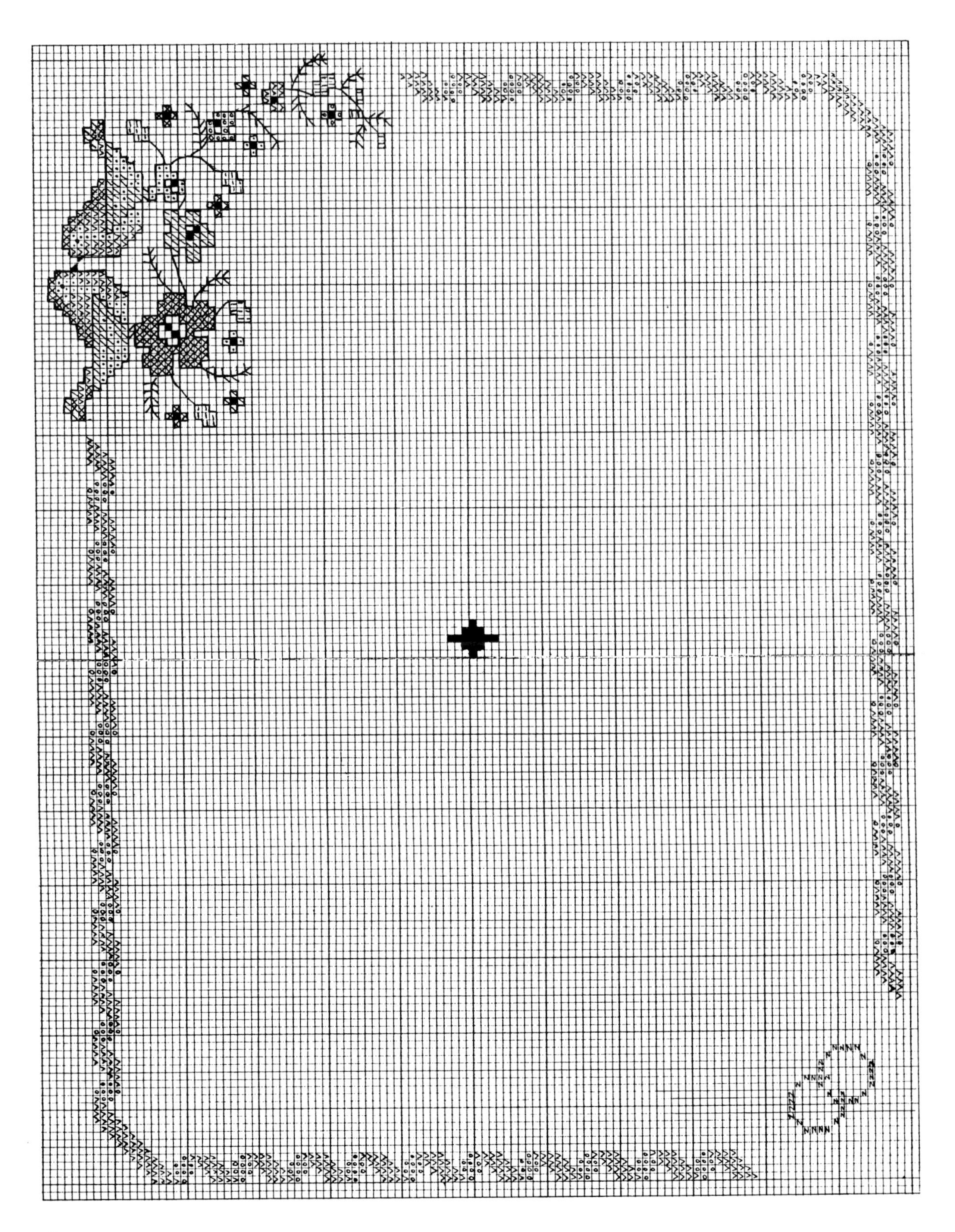

Penblwydd Deunaw, Un-ar-hugain, Penblwydd Priodas

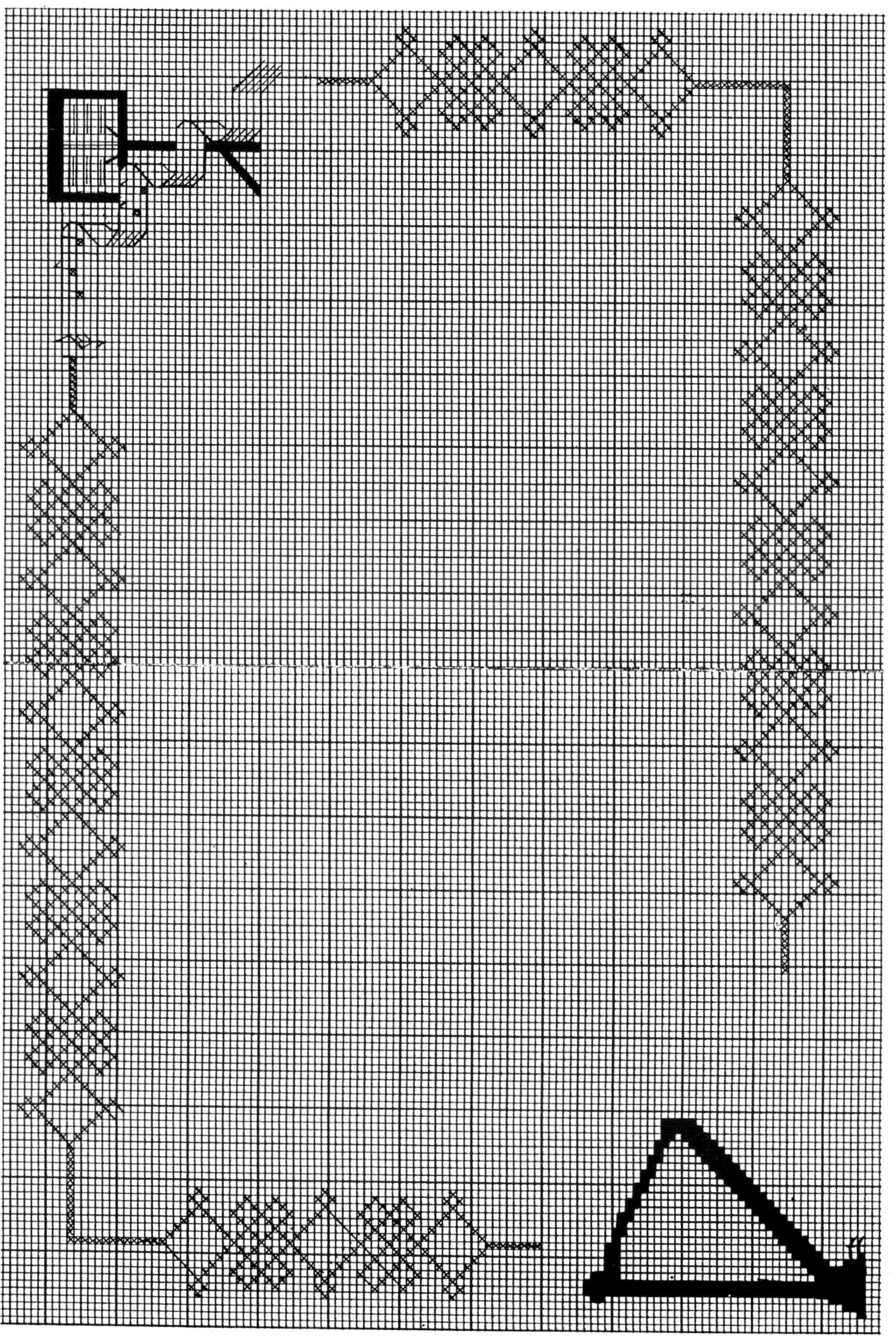

Penblwydd Priodas Arian

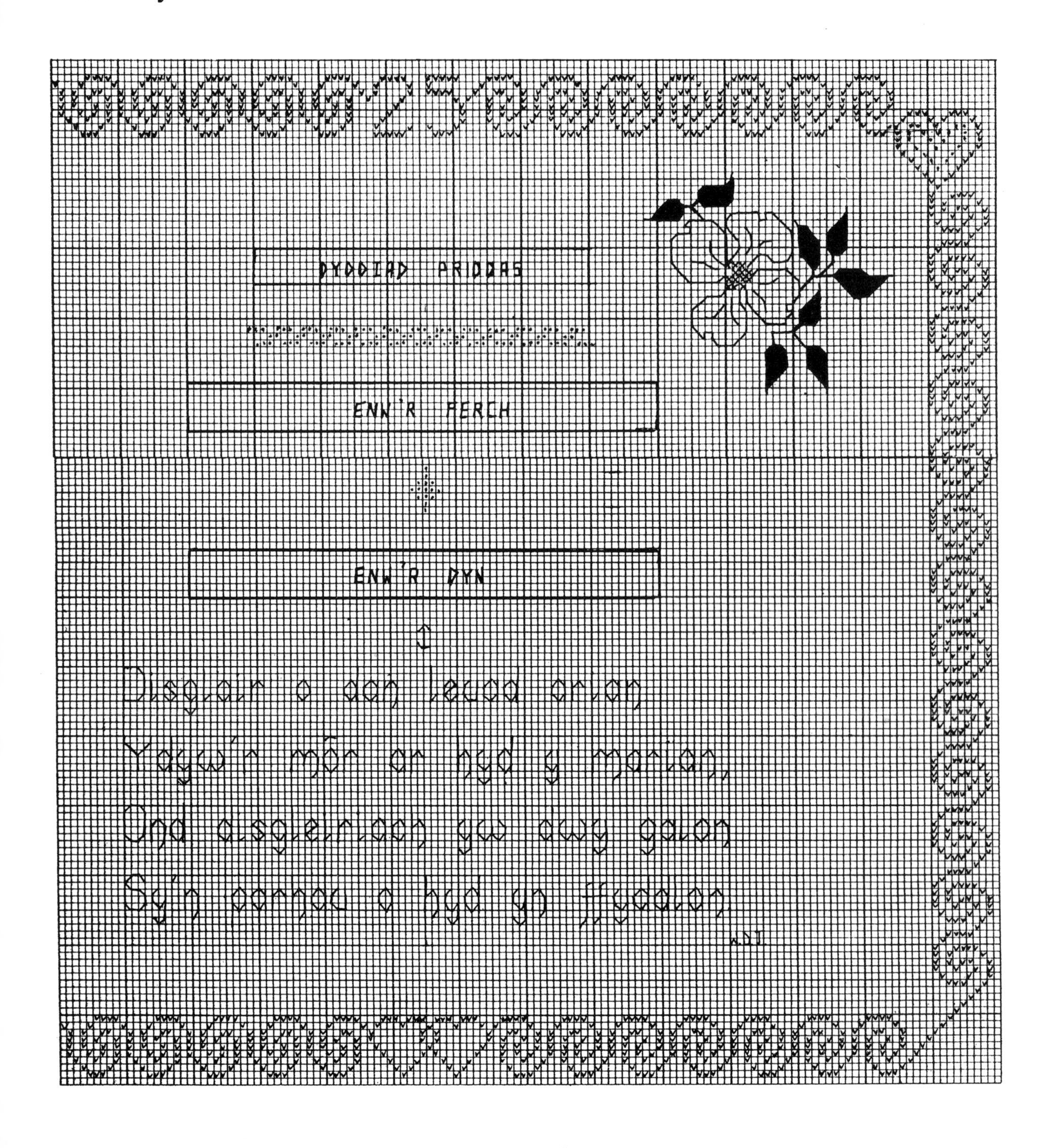

Disglair o dan leuad arian
Ydyw'r môr ar hyd y marian,
Ond disgleiriach yw dwy galon
Sy'n parhau o hyd yn ffyddlon.

WDJ

Penblwydd Priodas Aur

'Nid aur yw popeth melyn'
Medd hen ddihareb ddoeth,
Ond erys aur y fodrwy hon
O hyd yn fythol goeth.

WDJ

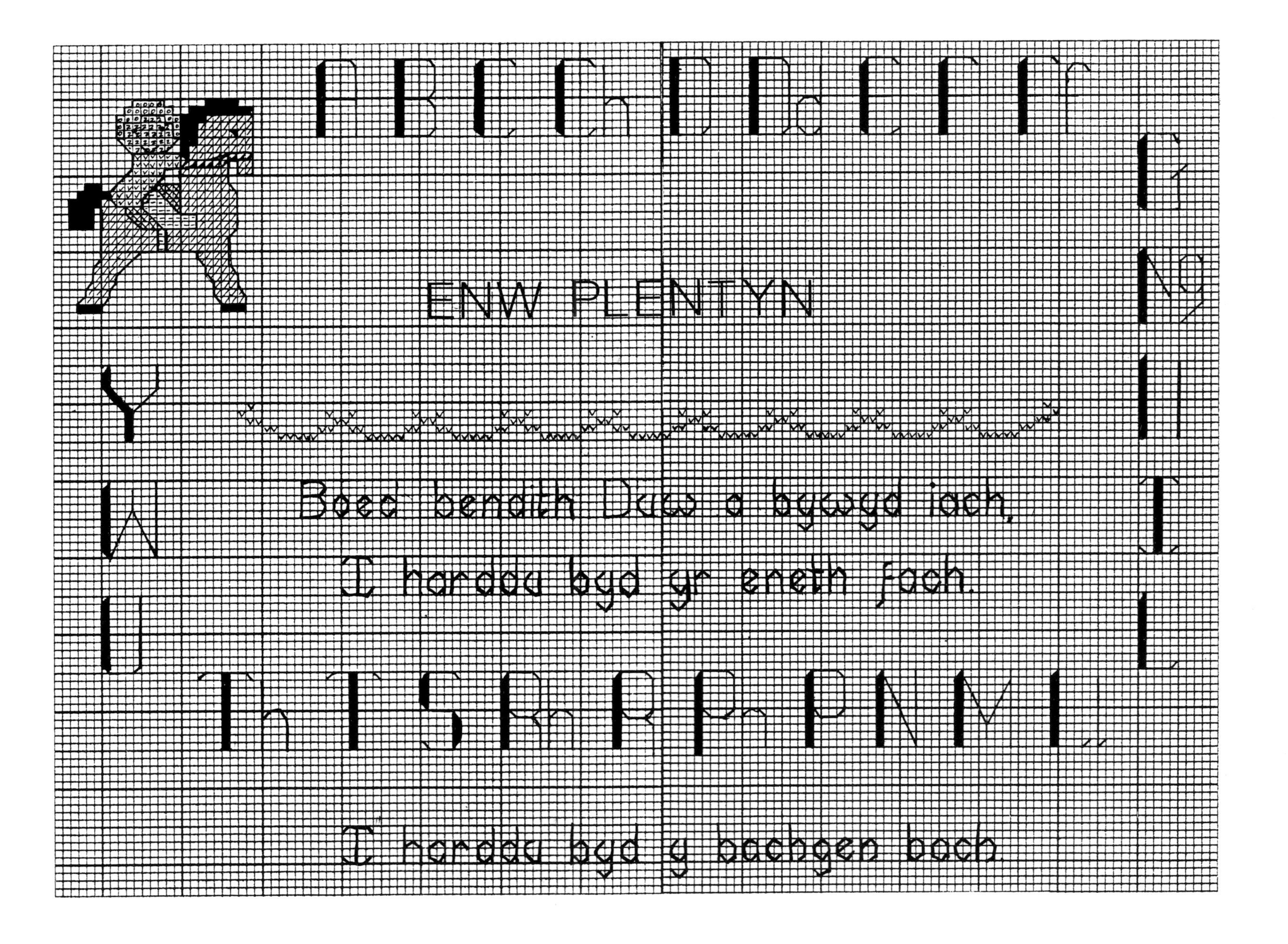
A B C Ch D Dd E F Ff G Ng H I L
ENW PLENTYN
Boed bendith Duw o bywyd iach,
I harddu byd yr eneth fach.
Y W U Th T S Rh R Ph P N M Ll
I harddu byd y bachgen bach.

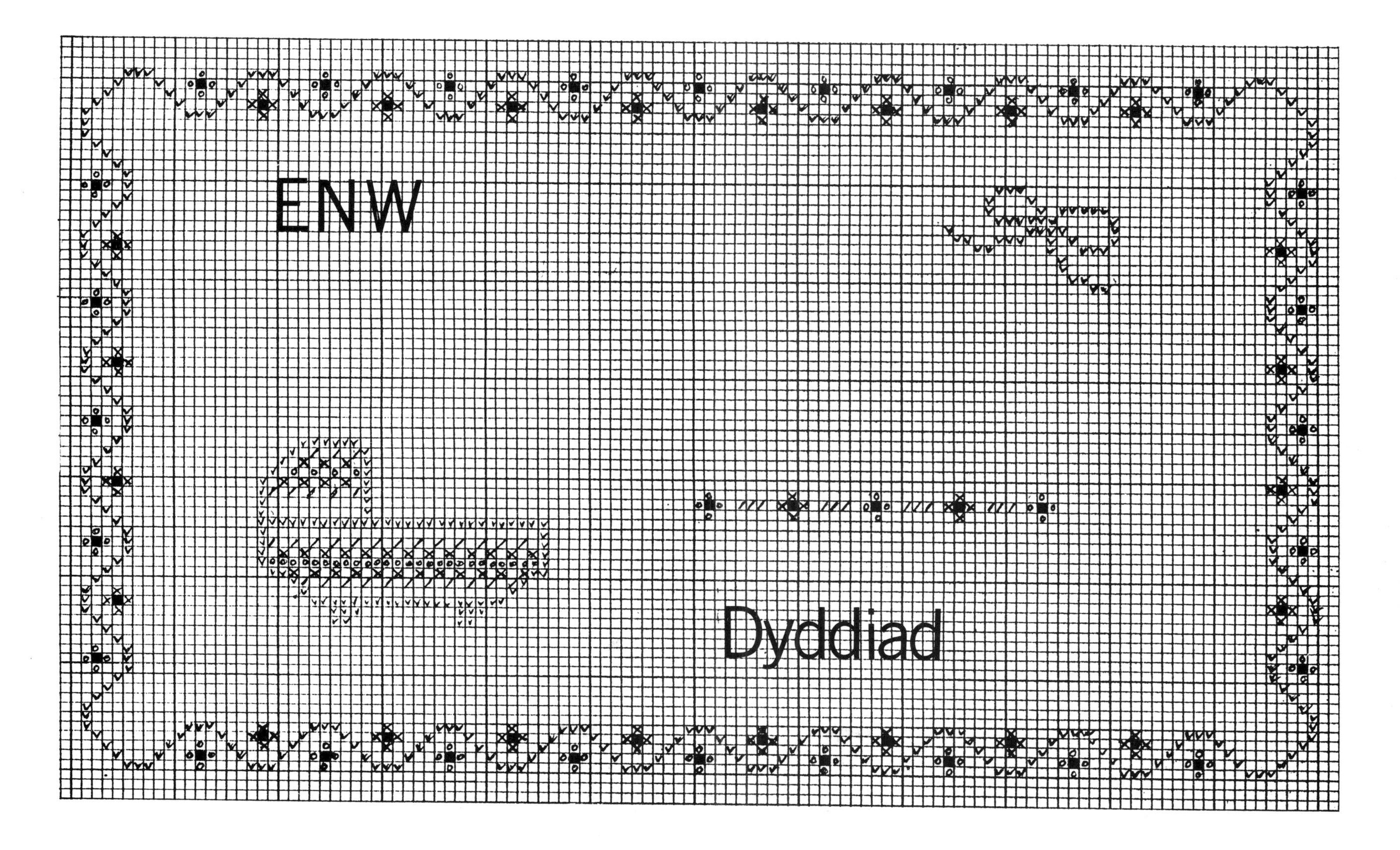
ENW
Dyddiad

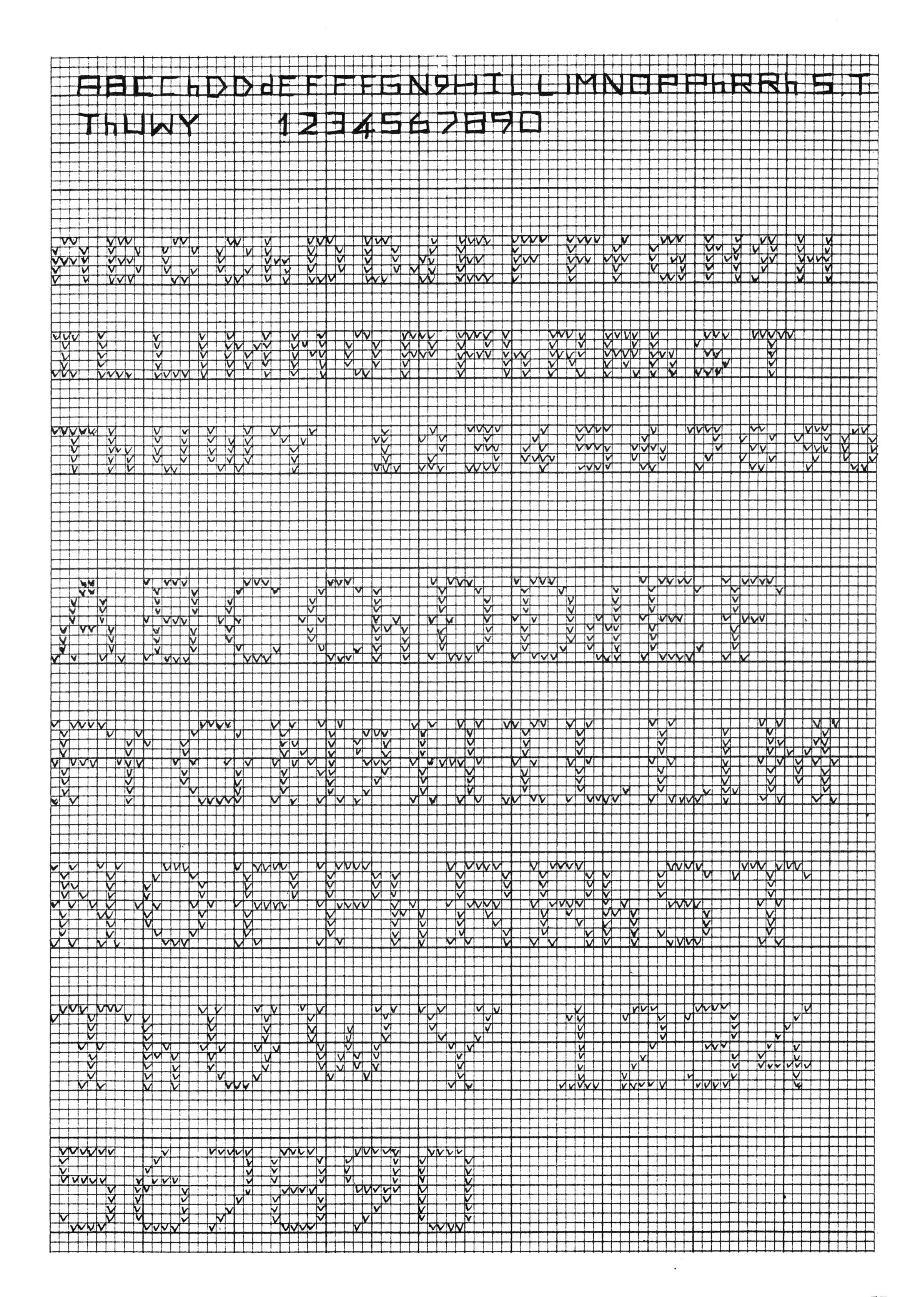

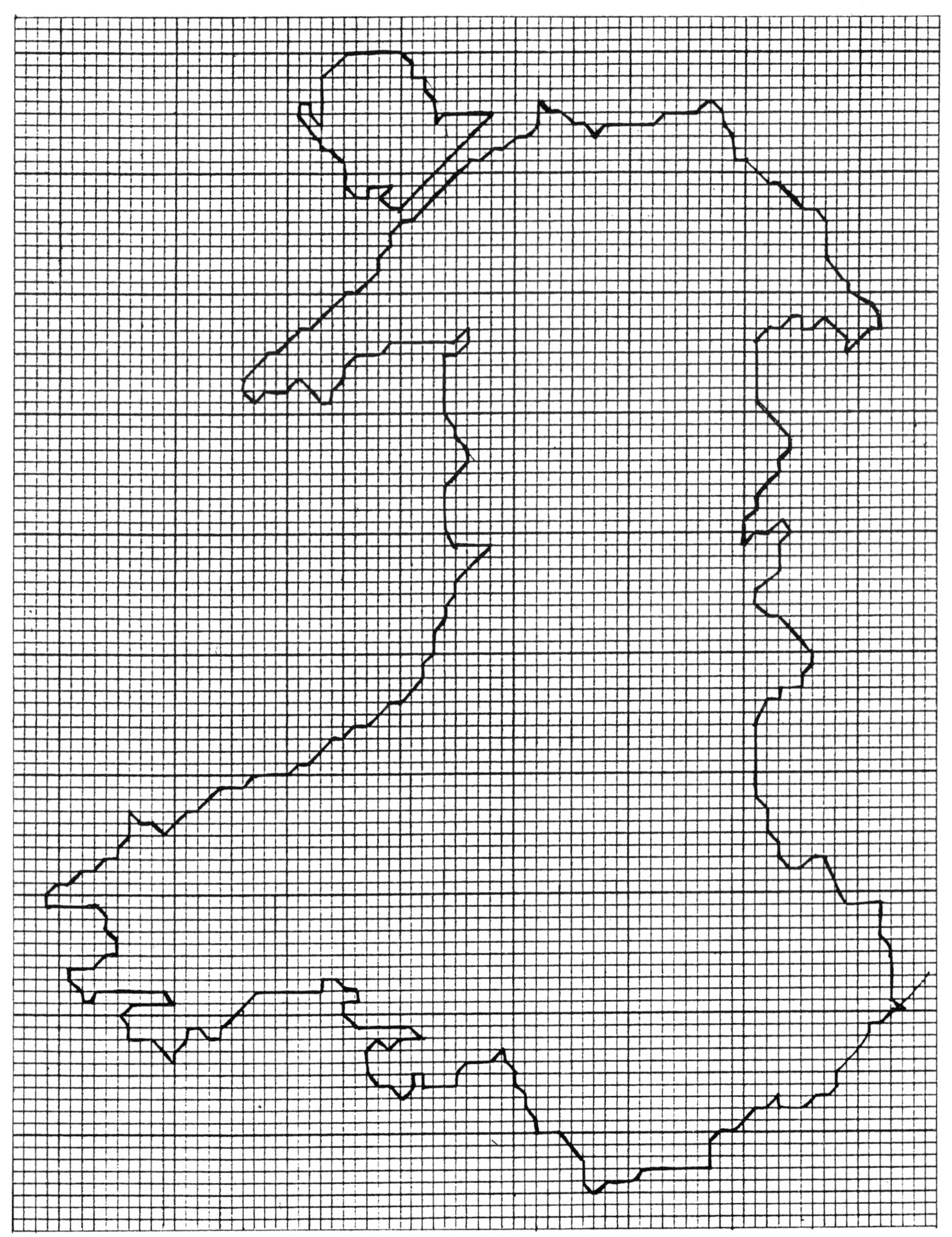

Map o Gymru

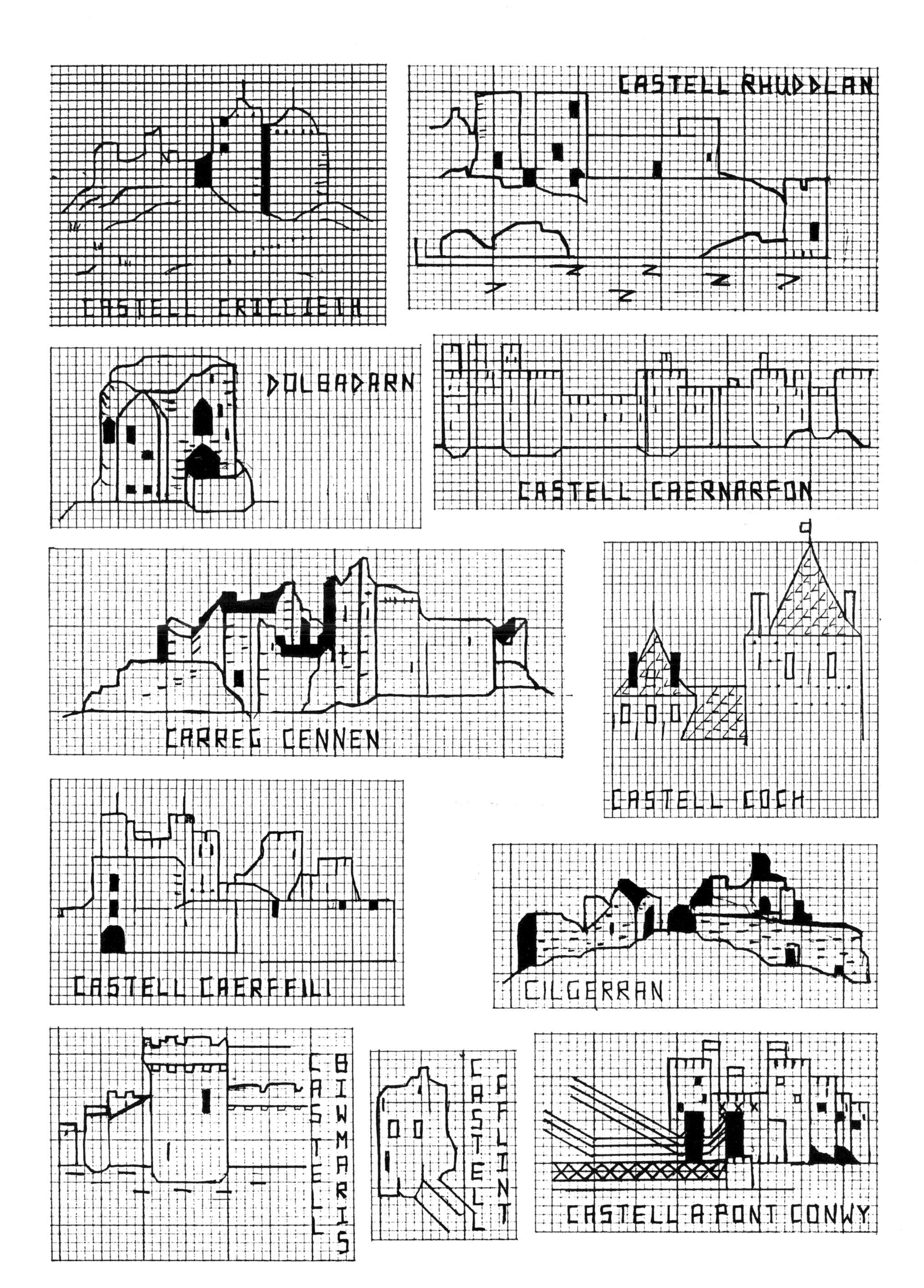
CASTELL CRICCIETH
CASTELL RHUDDLAN
DOLBADARN
CASTELL CAERNARFON
CARREG CENNEN
CASTELL COCH
CASTELL CAERFFILI
CILGERRAN
CASTELL BIWMARIS
CASTELL FFLINT
CASTELL A PONT CONWY

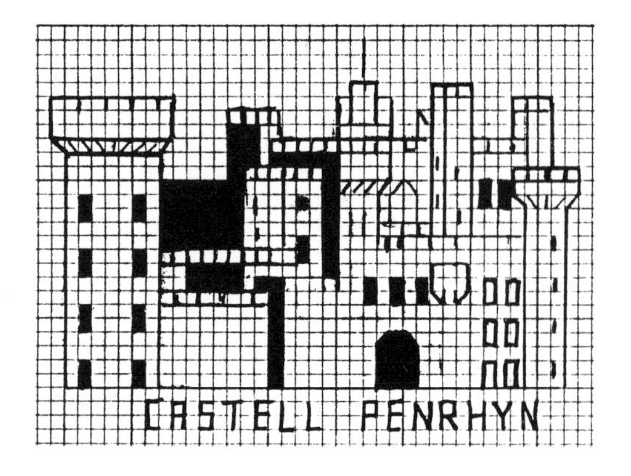
CASTELL PENRHYN

BASINGWERK

ERWENNI

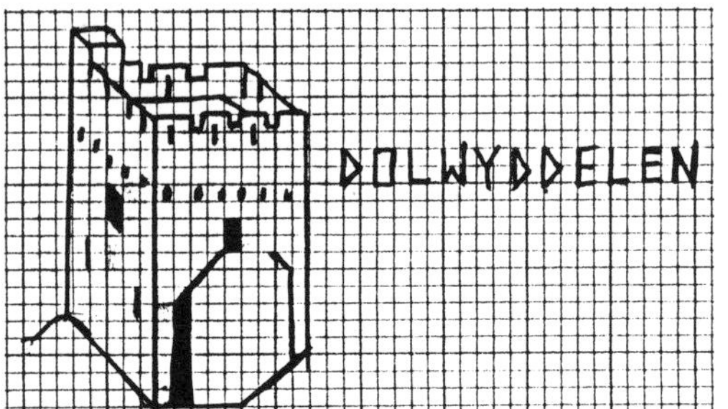
DOLWYDDELEN

COFEB MORUSIAID

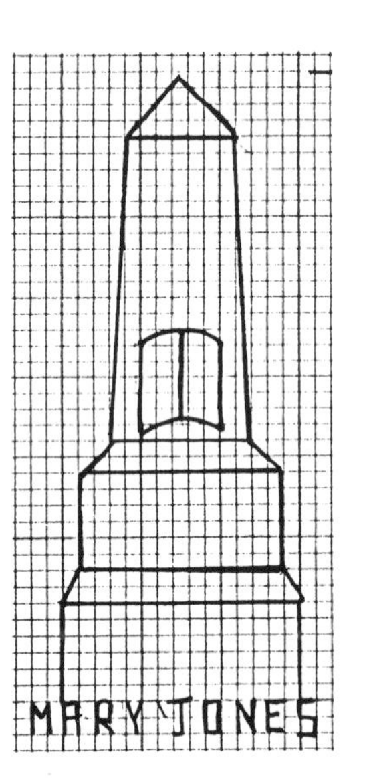
MARY JONES

COFEB GWENLLIAN

ABATY TALLEY

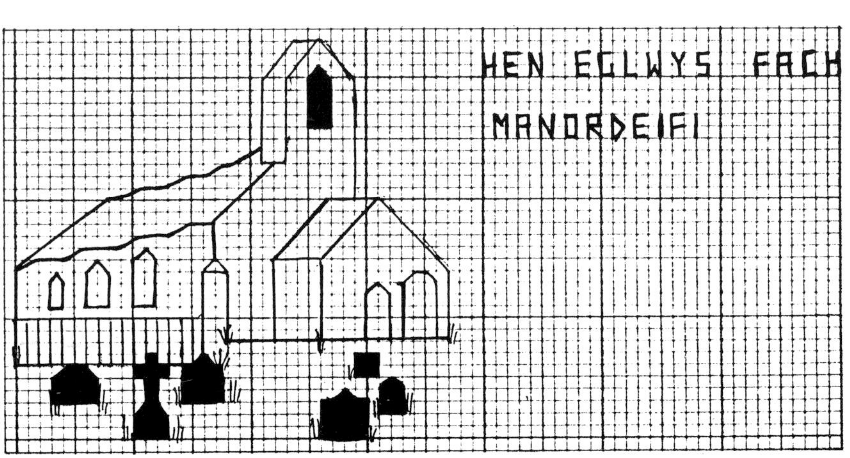
HEN EGLWYS FACH
MANORDEIFI

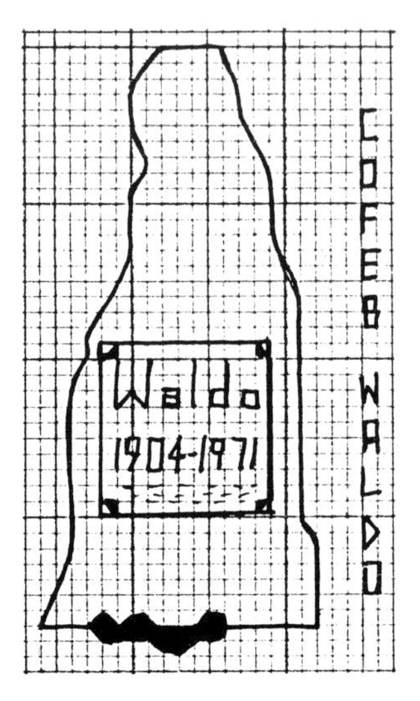
Waldo
1904-1971
COFEB WALDO

DEWI
SANT

FFYNNON GWENFFREWI

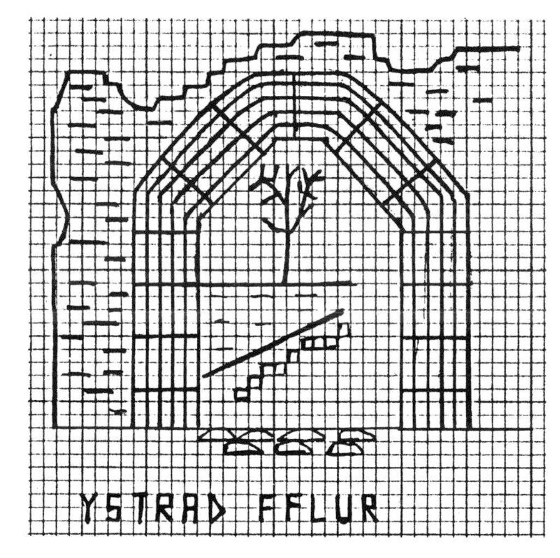
YSTRAD FFLUR

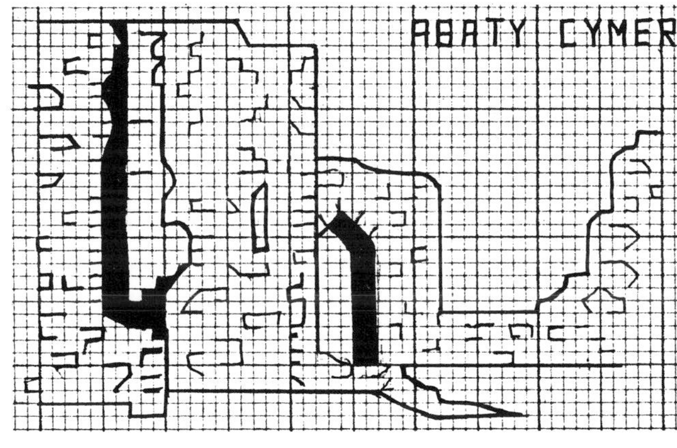
ABATY CYMER

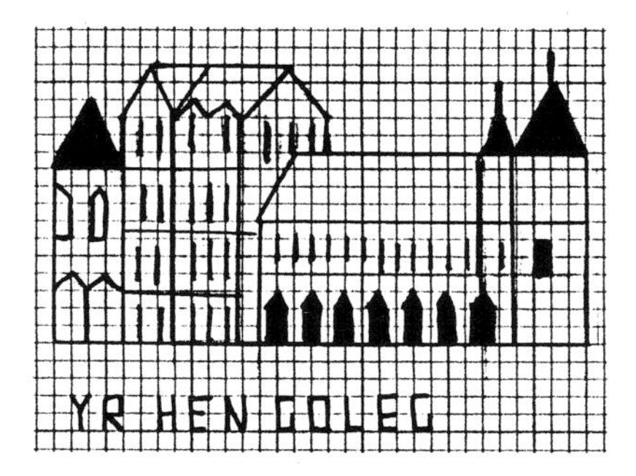
YR HEN GOLEG

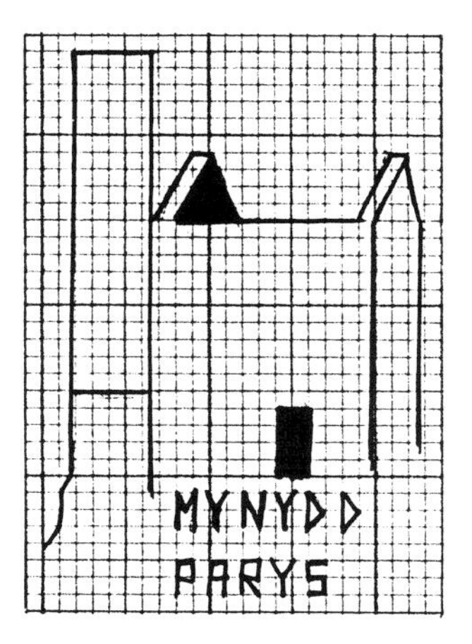
MYNYDD
PARYS

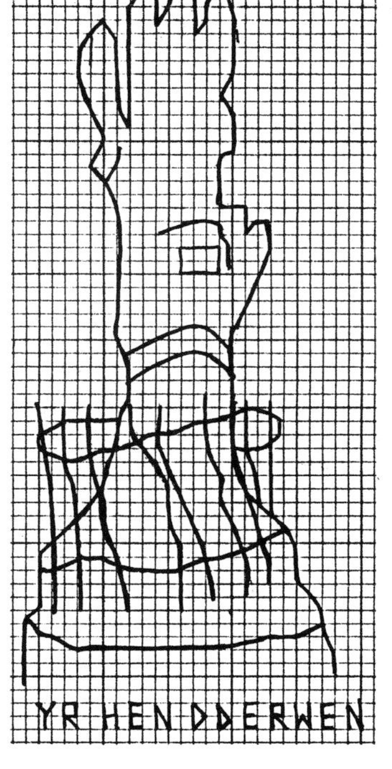
YR HEN DDERWEN

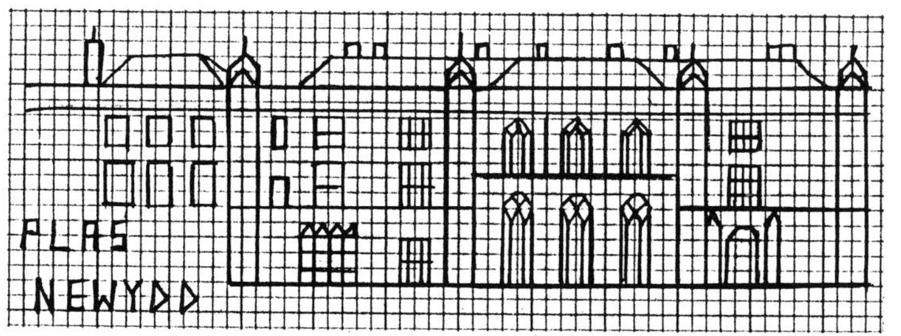
PLAS
NEWYDD

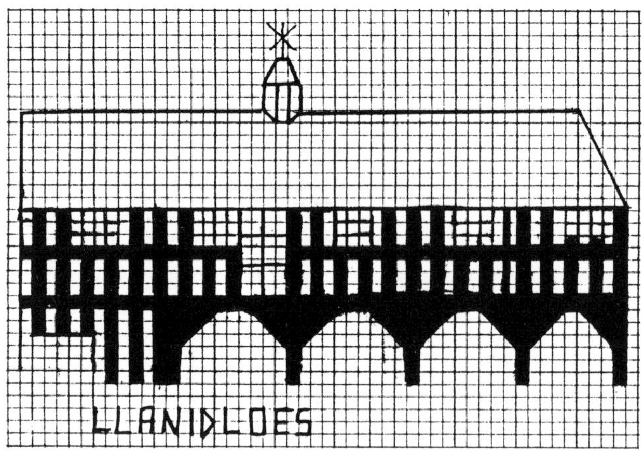
LLANIDLOES

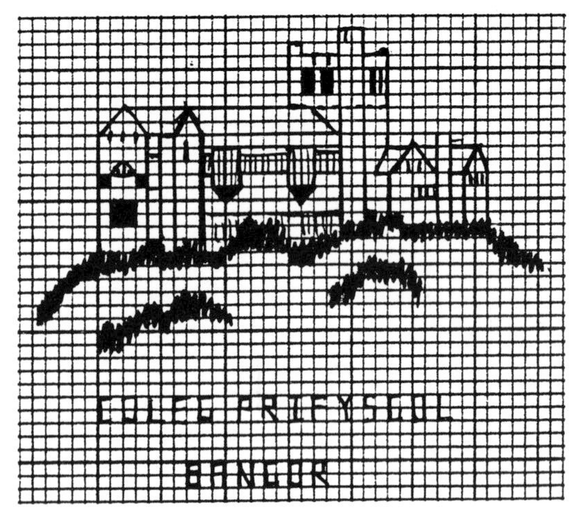
COLEG PRIFYSGOL
BANGOR

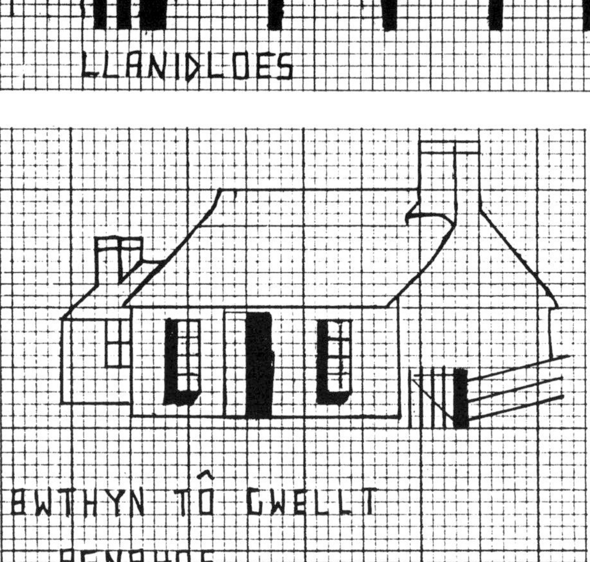
BWTHYN TÔ GWELLT
AENRHOS

NANTEOS

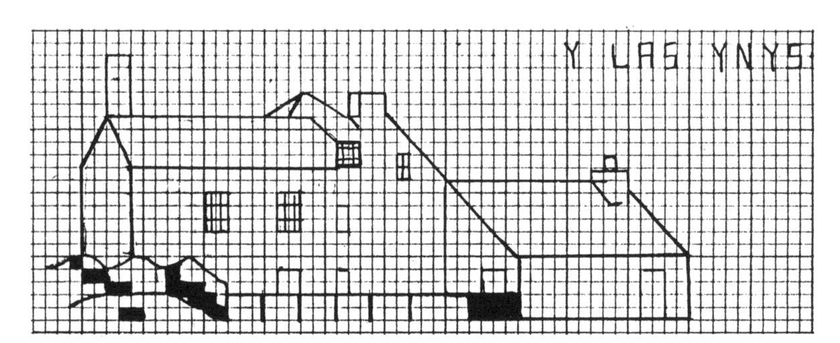
Y LAS YNYS

VALLE CRUCIS

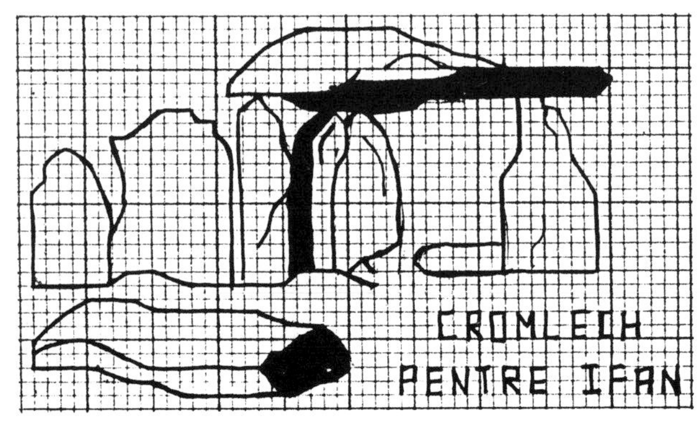
CROMLECH
PENTRE IFAN

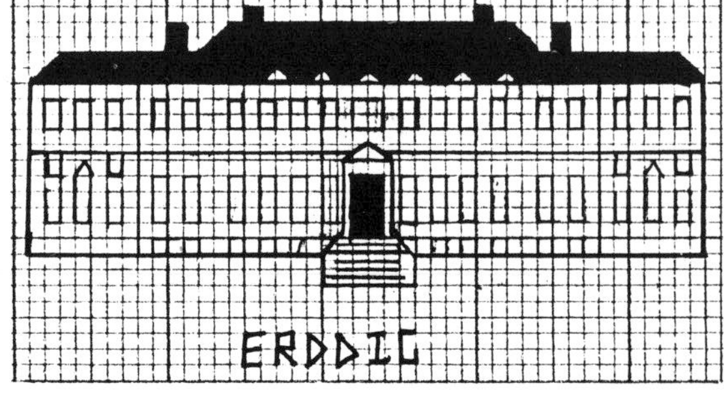
ERDDIG

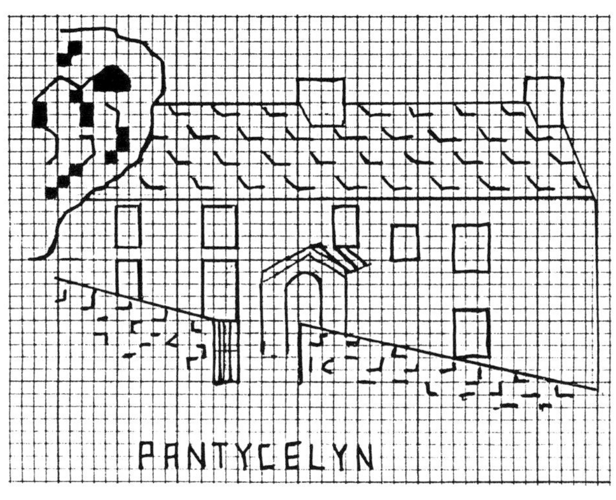
PANTYCELYN

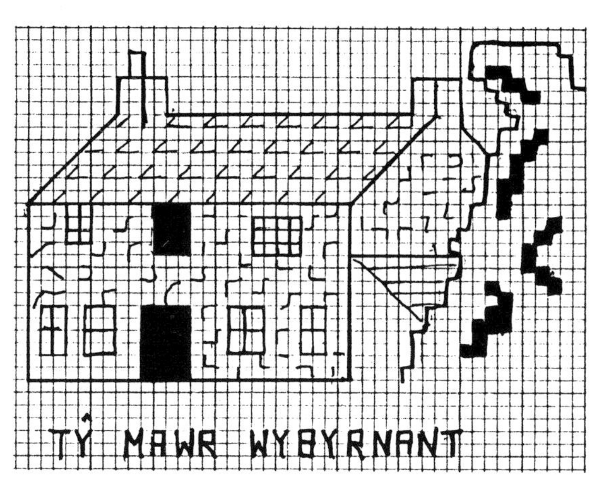
TŶ MAWR WYBYRNANT

GERDDI BODNANT

COFEB LLOYD GEORGE

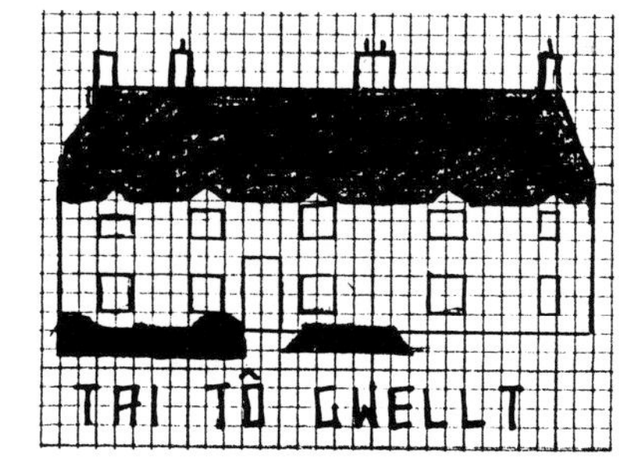
TAI TÔ GWELLT

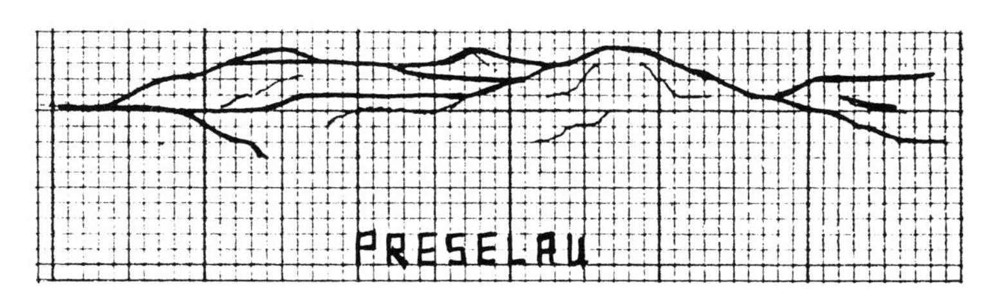
PRESELAU

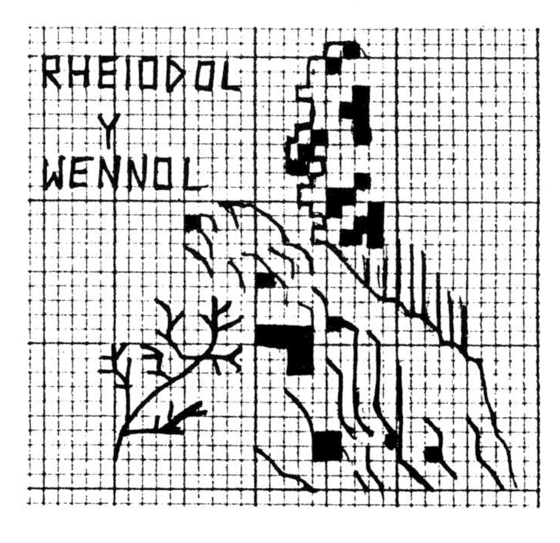
RHEIDOL
Y
WENNOL

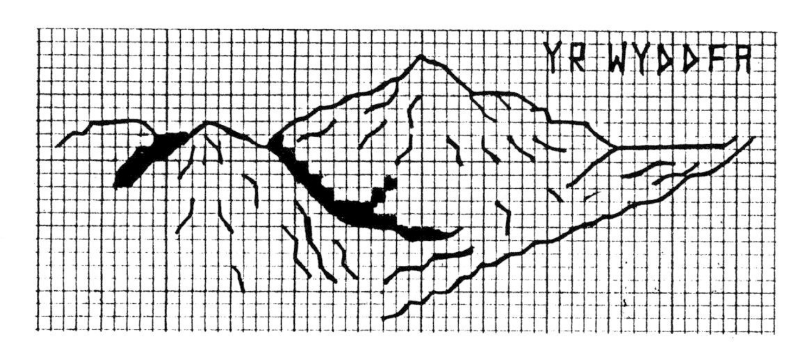
YR WYDDFA

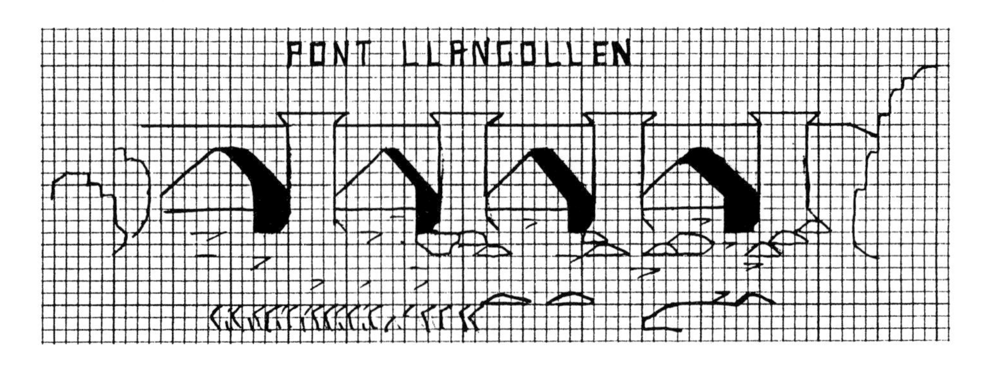
PONT LLANGOLLEN

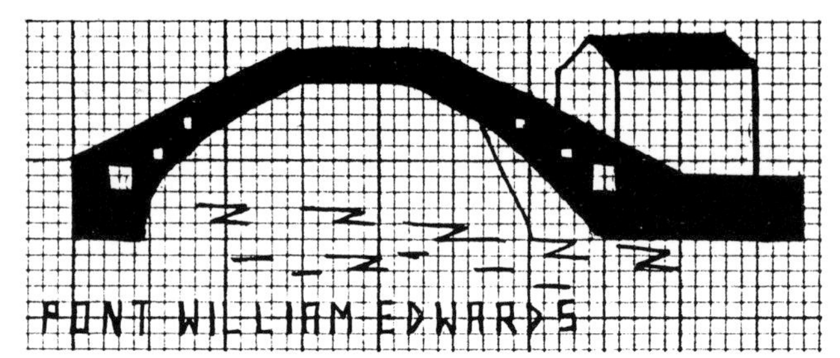
PONT WILLIAM EDWARDS

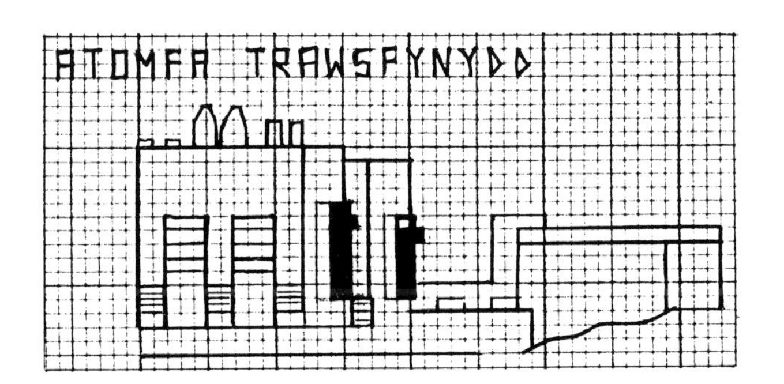
ATOMFA TRAWSFYNYDD

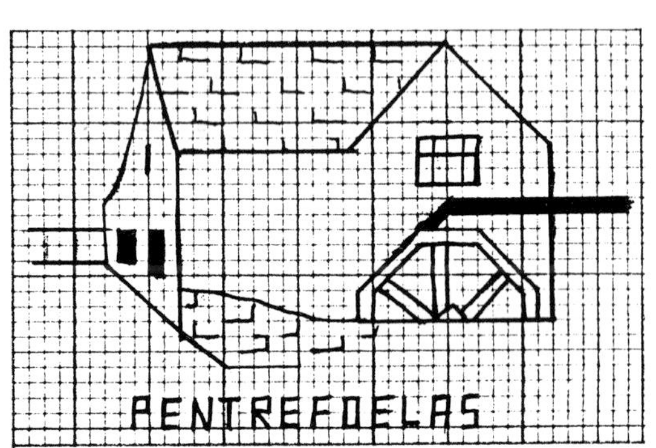
PENTREFOELAS

LLYN
BRENIG

CAMLAS
LLANGOLLEN

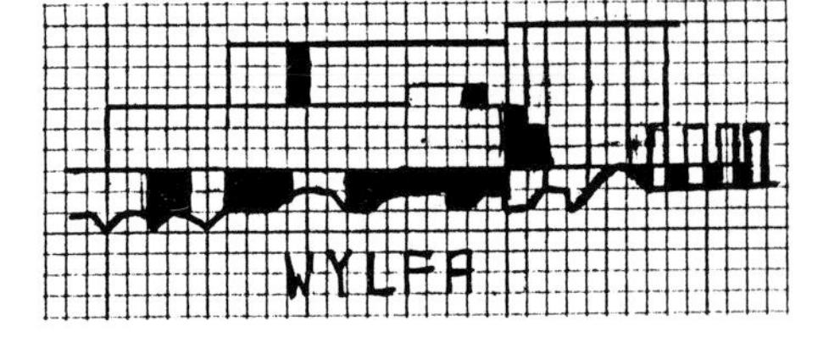
WYLFA

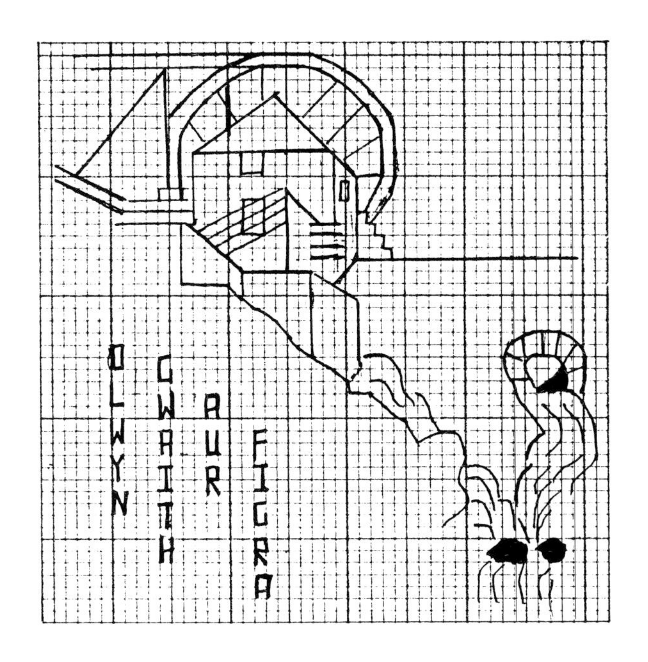
OLWYN
GWAITH
AUR
FIGRA

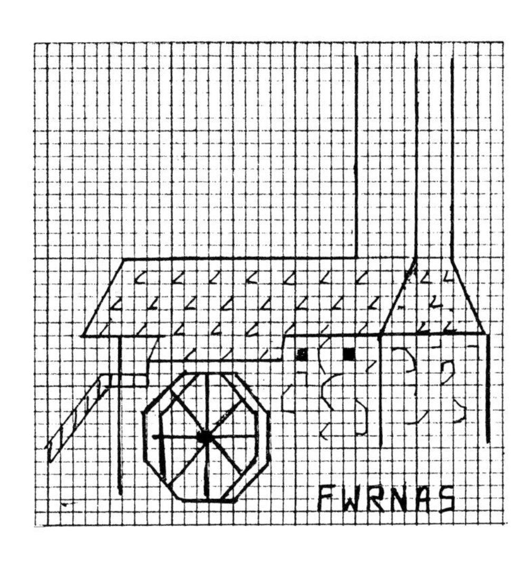
FWRNAS

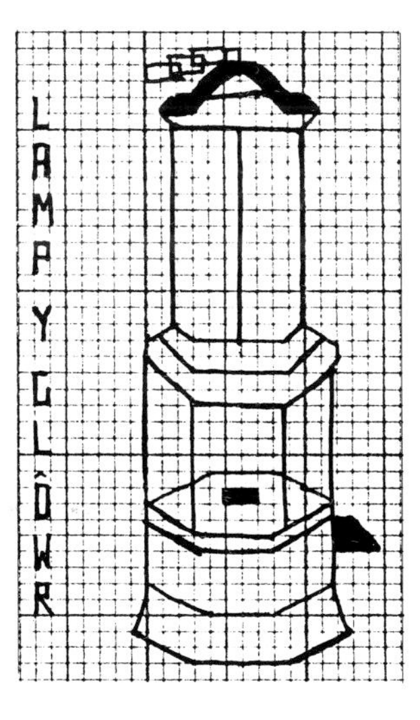
LAMP Y GLÔWR

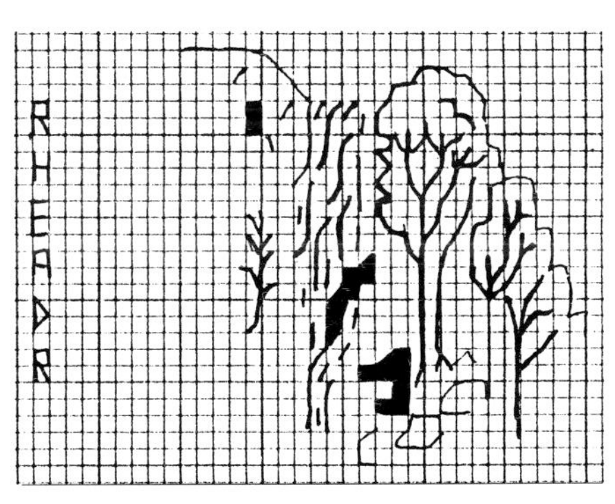
RHEADR

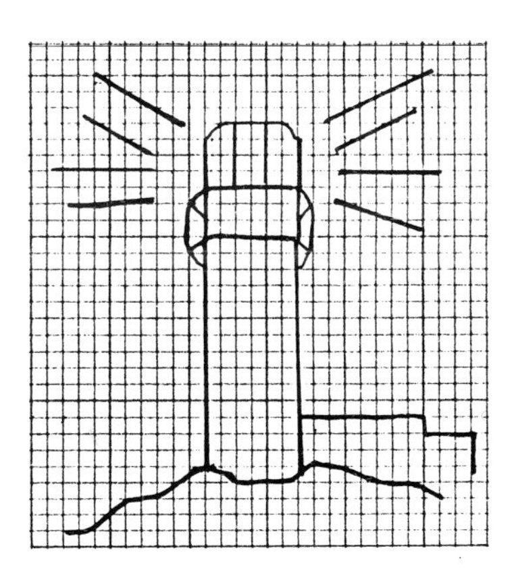

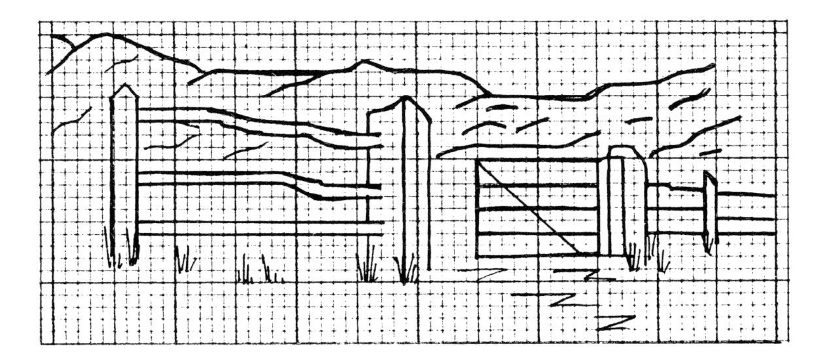

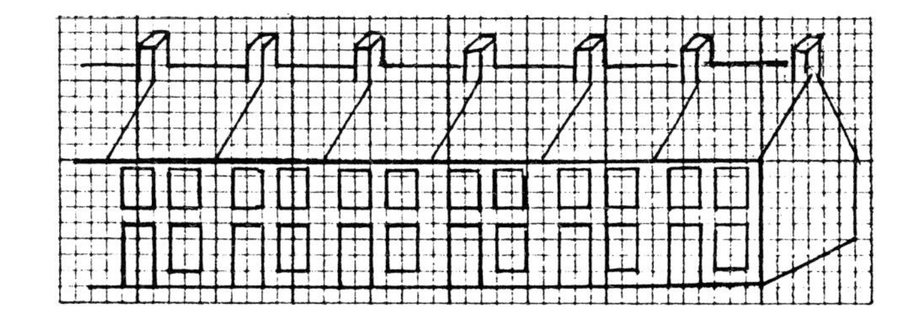

Faint o Ffabric?

Arbrofwch ar ddarnau o ffabric o wahanol wead, a phenderfynwch ar yr un rhwyddaf—gan gofio bod yn rhaid mwynhau gweithio'r sampler. Gallwch weithio allan beth yw maint gorffenedig y sampler—os oes gennych gynllun o 125 o sgwariau o led a 175 o hyd, ac yr ydych am weithio ar ffabric gyda 25 o edau i'r fodfedd (2.5 cm) a bod pob pwyth i weithio dros ddwy edau, fe fydd y maint gorffenedig yn:

lled: 125 sgwâr x 2 edau = 250 edau
hyd : 175 sgwâr x 2 edau = 350 edau

Gan fod 25 o edau i'r fodfedd

lled = 250 ÷ 25 = 10 modfedd
hyd = 350 ÷ 25 = 14 modfedd

250 edau/25 edau i'r fodfedd =
10 modfedd o led
350/25 edau i'r fodfedd =
14 modfedd o hyd

Mae'n well cael pedair modfedd o amgylch y cynllun dros ben—felly mae angen darn o ffabric

10″ + 8″ = 18 modfedd o led
14″ + 8″ = 22 modfedd o hyd

Cyn dechrau pwytho marciwch ganol y ffabric ar ei hyd ac ar led. I wneud hyn plygwch y ffabric yn ei hanner ac wedyn yn ei hanner eto, a gan ddechrau o ganol y ffabric gweithiwch linell o bwythau tacio at i fyny ac i lawr, ac i'r ddwy ochr. Cymerwch ofal i weithio pob pwyth tacio dros ddeg edau ac o dan ddeg edau—fe fydd hyn o gymorth mawr pan fyddwch yn cyfri'r edau i leoli'r patrymau o'r siart i'r ffabric.

Penderfynwch dros faint o edau i weithio, pa bwythau fyddai orau a pha ffordd i groesi'r pwythau, gan gofio ei bod yn bwysig i groesi pob pwyth yn union yr un ffordd. Os oes gennych unrhyw amheuaeth gwnewch res o bwythau ar waelod eich ffabric—fel y byddant gennych i gyfeirio atynt wrth weithio.

Cofiwch dwtio ymylon y ffabric neu fe fydd yn mynd yn llai ac yn llai wrth i chi weithio.

Patrymau Celtaidd

Dengys celfyddyd Geltaidd gyfoeth o liwiau a symbolau wedi eu gwau trwy ei gilydd i greu patrymau cymhleth. Datblygodd o grefydd y Derwyddon a thraddodiad llafar y Celtiaid ac mae'r chwech bod creadigol yn y byd Celtaidd—planhigion, trychfilod, pysgod, adar, mamal a dyn—i gyd i'w gweld yn eu celfyddyd. Ond oherwydd eu bod yn gwarafun portreadu gwaith y Creawdwr yn uniongyrchol darlunir y craduriaid ar ffurf symbolau ac mae'r coesau, pennau, adenydd ayb wedi eu plethu i greu patrymau astrus.

Fel duwiau paganaidd, credir bod gan y Derwyddon y gallu i newid eu ffurf. Felly nid yw'n syndod eu gweld wedi eu portreadu yn gyfan gwbl neu'n rhannol ar ffurf adar ac anifeiliaid. Roedd yr un tueddiad yn yr Efengylau Cristnogol, lle portreadir Mathew fel sumbol o delyn, Marc fel Llew, Luc fel Bustach ac Ioan fel Eryr.

Nifer cyfyngedig o liwiau oedd ar gael, a'r rheini wedi eu gwneud o fwynau megis plwm a chopr wedi eu powdro a'u cymysgu â finegr neu wynwy ŵy. Y prif liwiau oedd melyn llachar, coch a gwyrdd. Ychydig iawn o aur ac arian a welir yn yr hen weithiau Celtaidd.

Wrth ddewis lliwiau i weithio'r patrymau Celtaidd gellir cyfyngu'r dewis i'r lliwiau hynafol gan ddefnyddio sawl gwawr o bob lliw. Y grŵp o liwiau y defnyddiaf lawer ohonynt yw:

DMC 347 a 3328 coch a phinc tywyll
320 a 319 gwyrdd golau a thywyll
834 melyn
611 *beige*
926 a 924 llwydlas golau a thywyll

Mae rhain yn lliwgar ond nid yn rhy llachar i ymdoddi i'r cefndir.

Y Cwlwm Celtaidd neu Linyn Bywyd

Mae'r cwlwm cymhleth yma gyda'i linell di-dor yn sumbol o gynnydd ysbrydol tragwyddol neu barhad bythol y ffordd at berffeithrwydd.

Patrwm Agoriad

Patrwm troellog ar ffurf llinellau syth. Wrth eu huno maent yn ffurfio llwybr cymhleth at y canol—lle cyfarfu nef a daear.

Patrwm Troellog

Ymhob diwylliant o'r dechreuad mae'r patrwm yma yn dynodi bywyd tragwyddol. Roedd y mynachod Celtaidd yn ymwybodol iawn o'r dŵr o'u cwmpas ac maent yn nodi'r symudiad yma yn y patrymau troellog.

Patrwm *Zoomorphic*

Ymddangosodd y patrymau yma yn ystod Oes yr Efydd ym Mhrydain, ac maent yn dangos nad yw pethau fel y maent yn ymddangos ar yr olwg gyntaf. Mae planhigion yn troi'n gynffonnau ac yn plethu drwy'i gilydd i greu pen, coesau a thraed.

Y Groes Geltaidd

Er yr adnabyddir y groes hon fel arwydd goruchaf y ffydd Gristnogol, mae'r sumbol yn un hŷn o lawer na Christnogaeth. Mae'r esiampl gynharaf, sy'n dyddio'n ôl i 10,000, wedi ei pheintio ar gerrig llyfn mewn ogof ym mynyddoedd y Pyrenees yn Ffrainc, a chredir i'r cerrig yma gynnwys ysbrydion y meirw.

Mae'r groes yn sumbol o bedair ffordd yn deillio o'r canol, a'r cylch yn sumbol o'r haul a llywodraeth Iesu Grist dros bopeth—ar hyd, ar led, uchder a dyfnder.

Y Wyddor

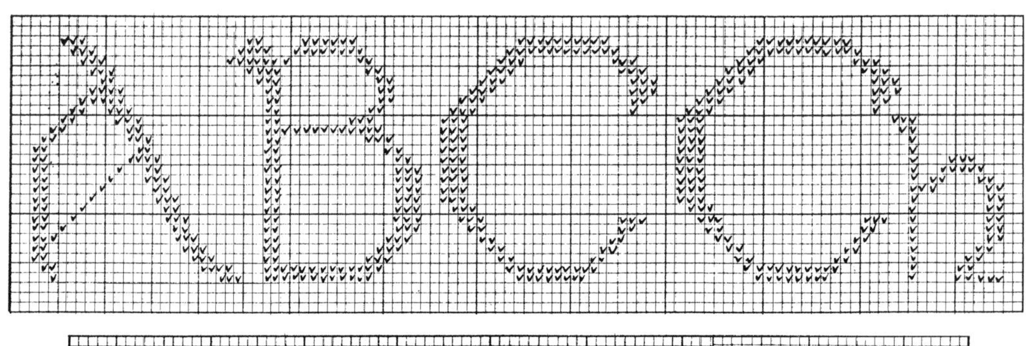

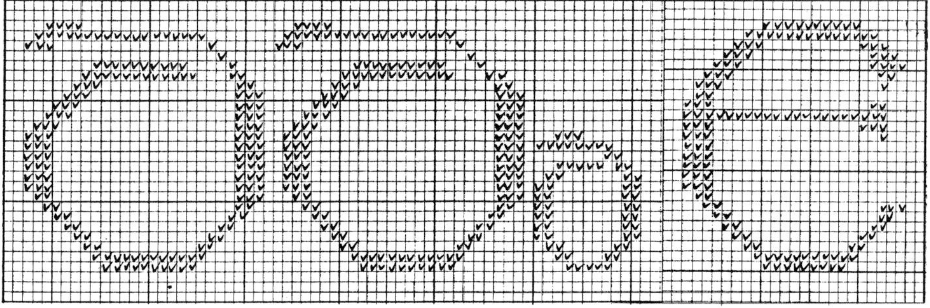

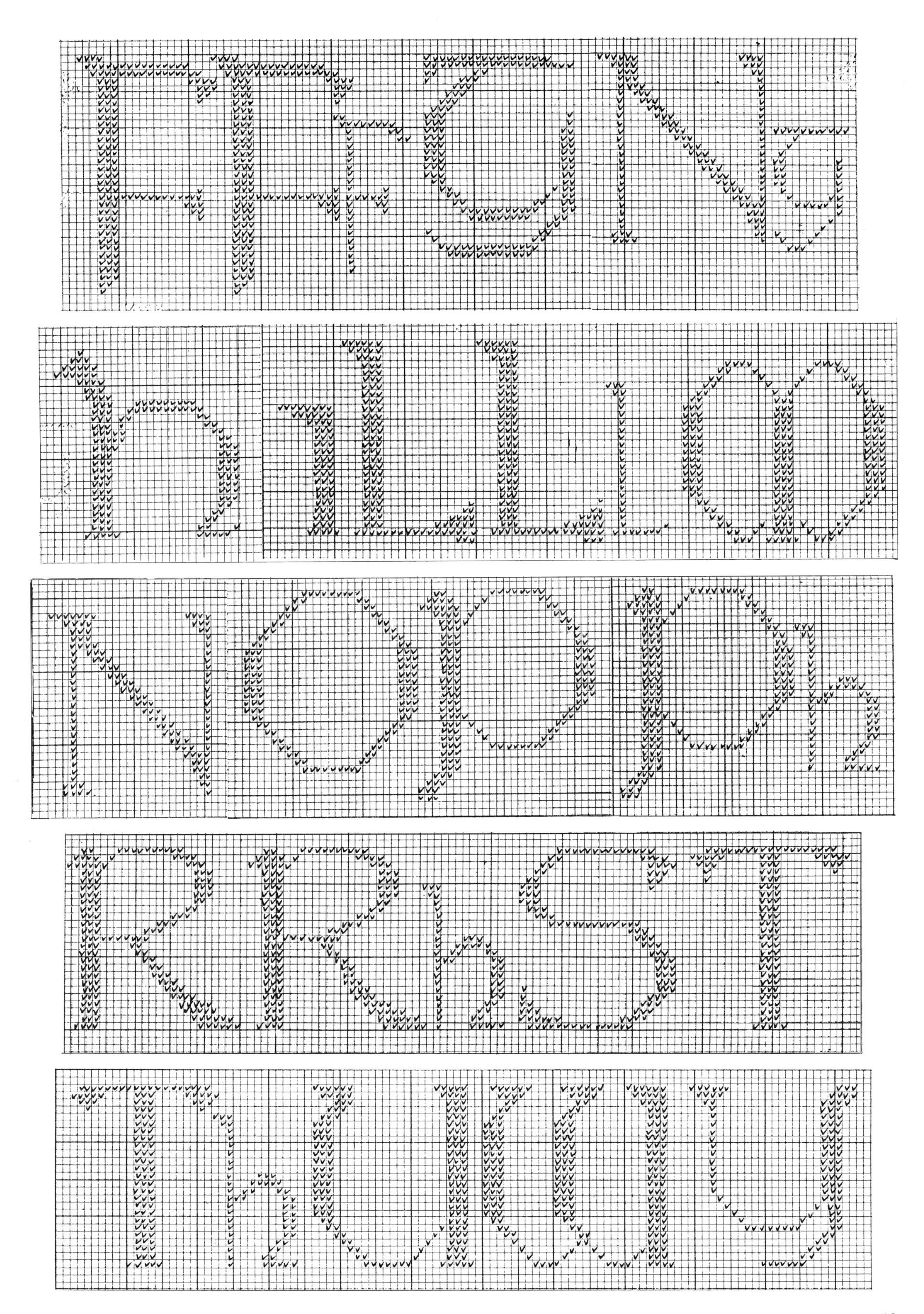

Y Cwlwm Celtaidd

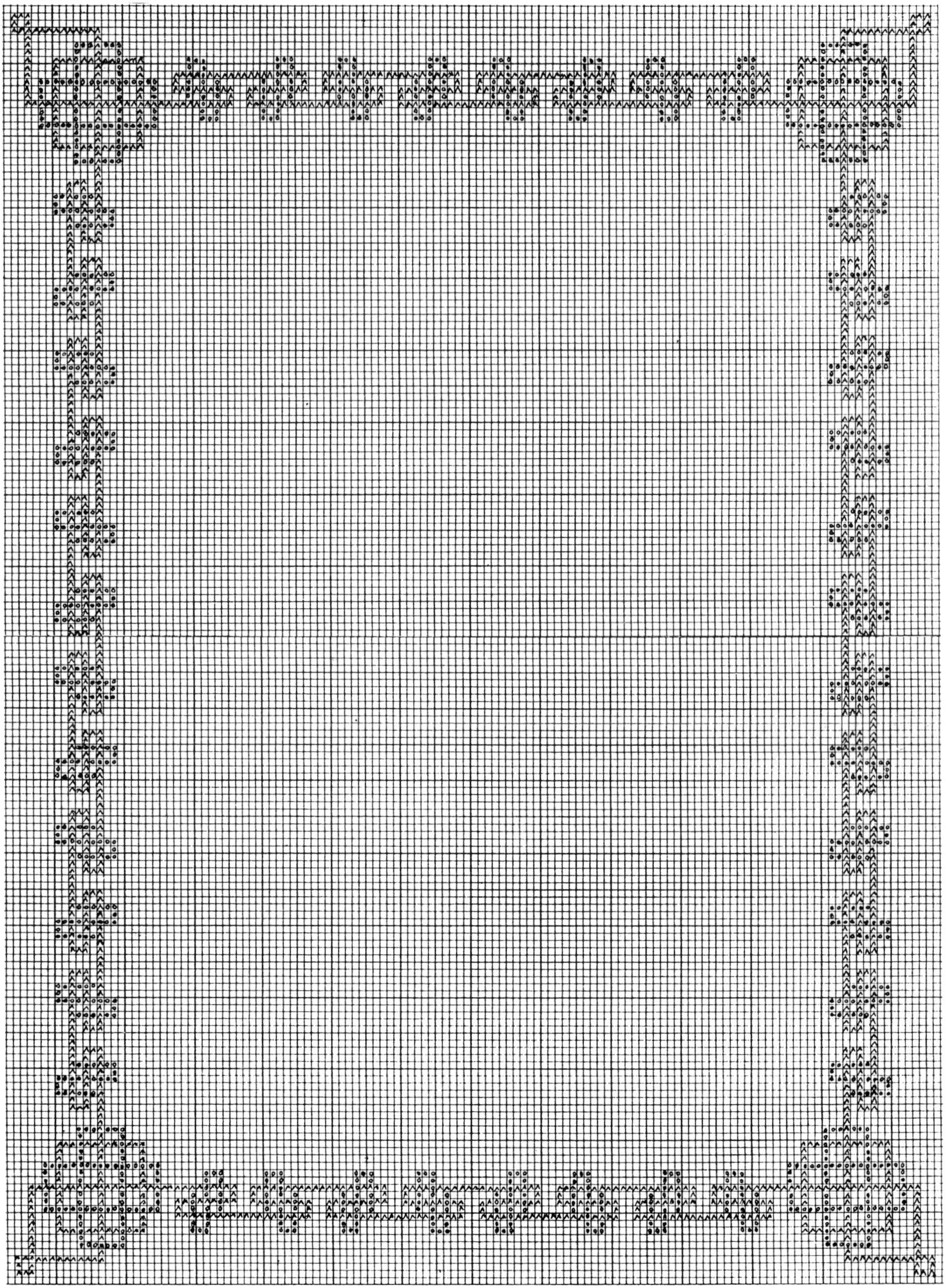

Patrwm Troellog
Cwlwm Troellog
Y Cwlwm Celtaidd
Y Cwlwm Celtaidd

Patrwm Agoriad

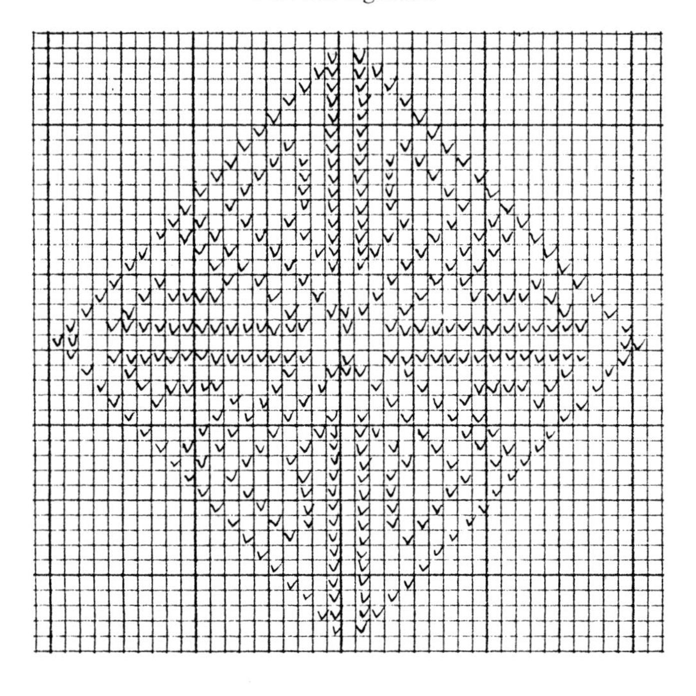

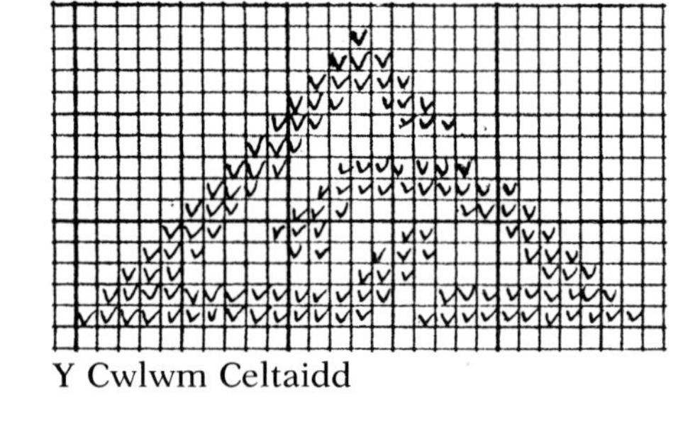

Y Cwlwm Celtaidd

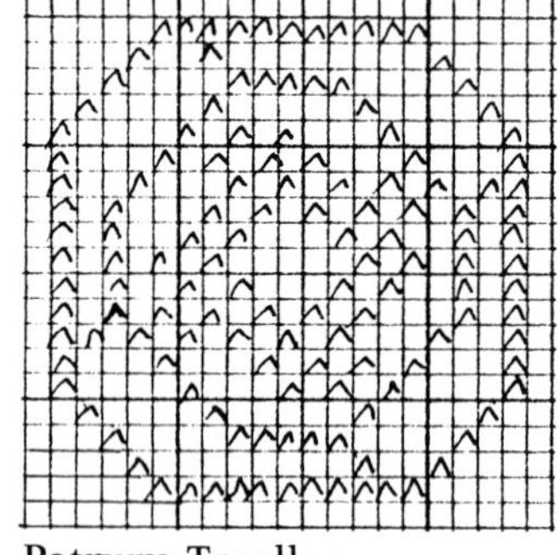

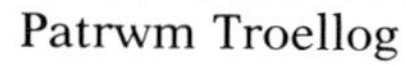

Patrwm Troellog

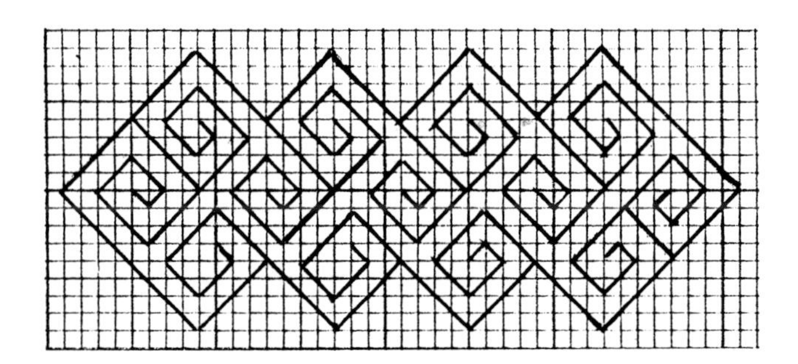

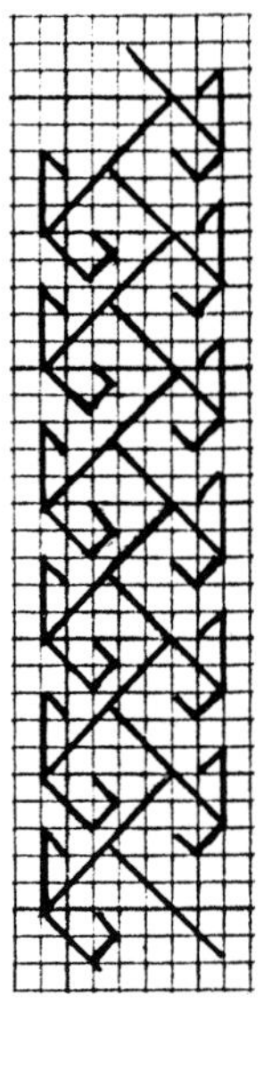

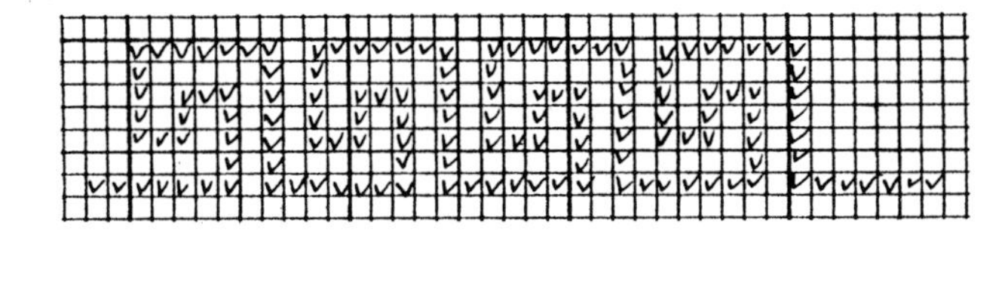

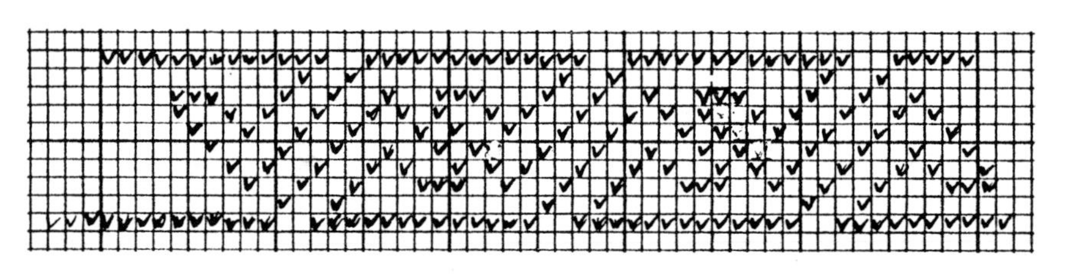

Patrwm *Zoomorphic* a Chwlwm

Patrwm *Zoomorphic*

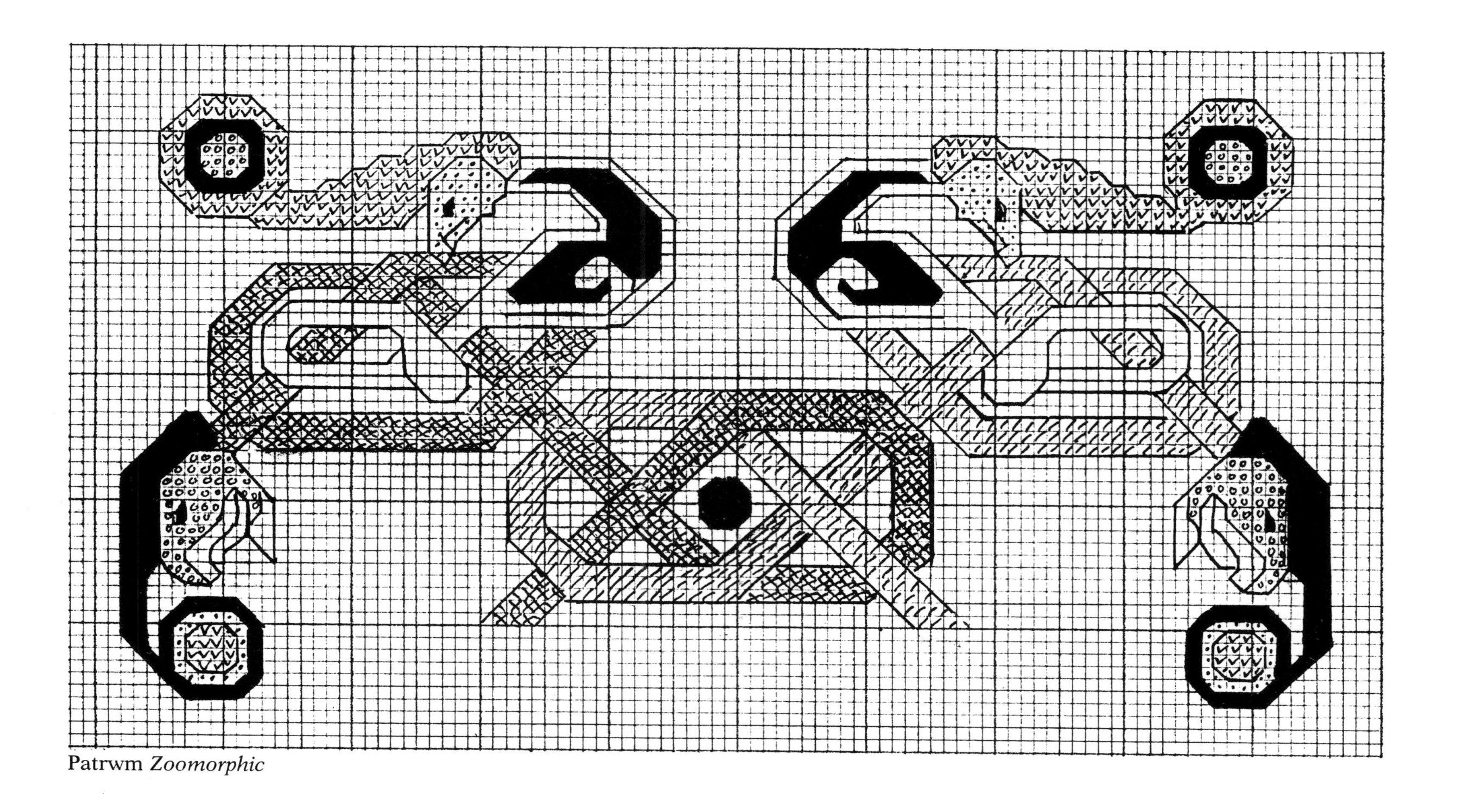

Patrwm *Zoomorphic*

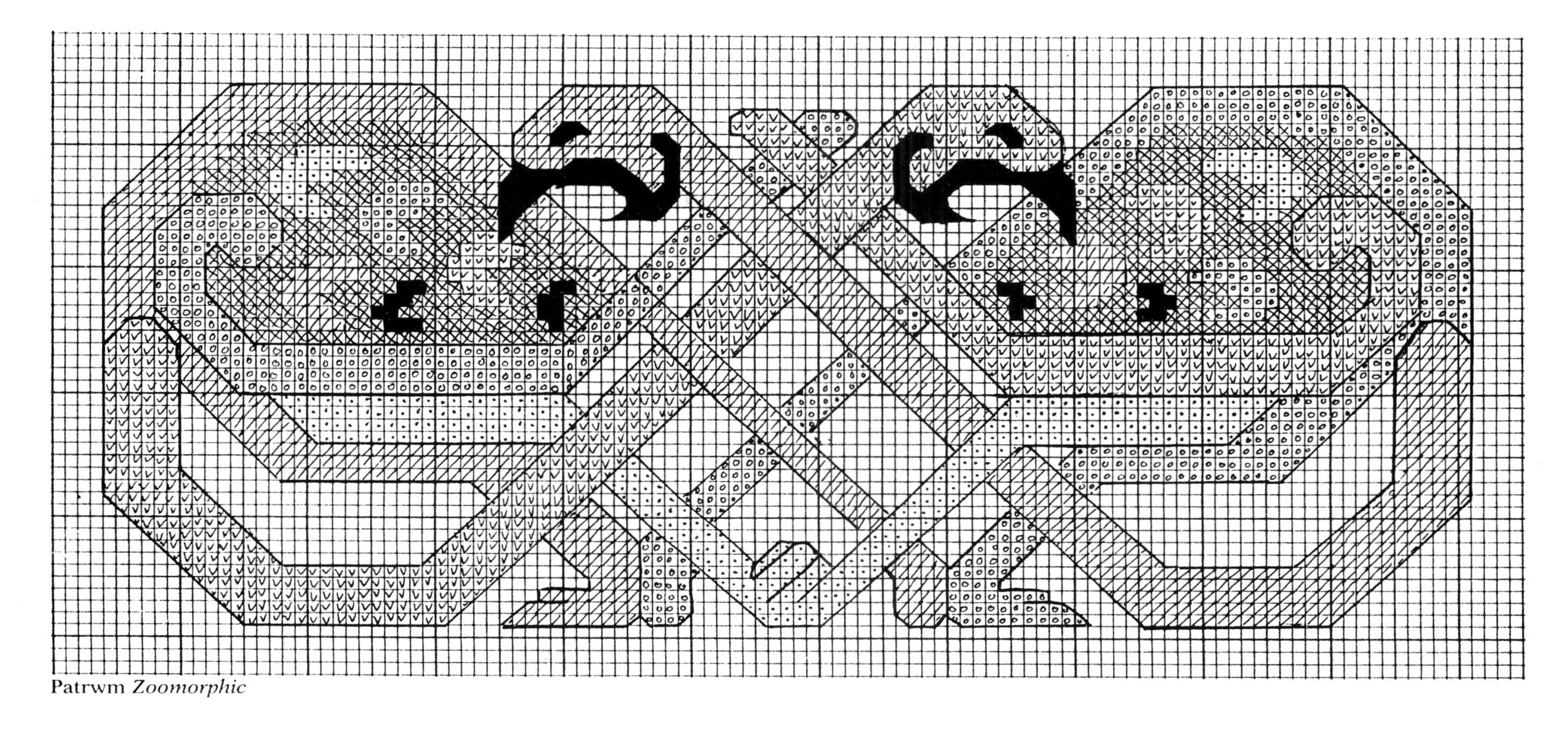

Patrwm *Zoomorphic*

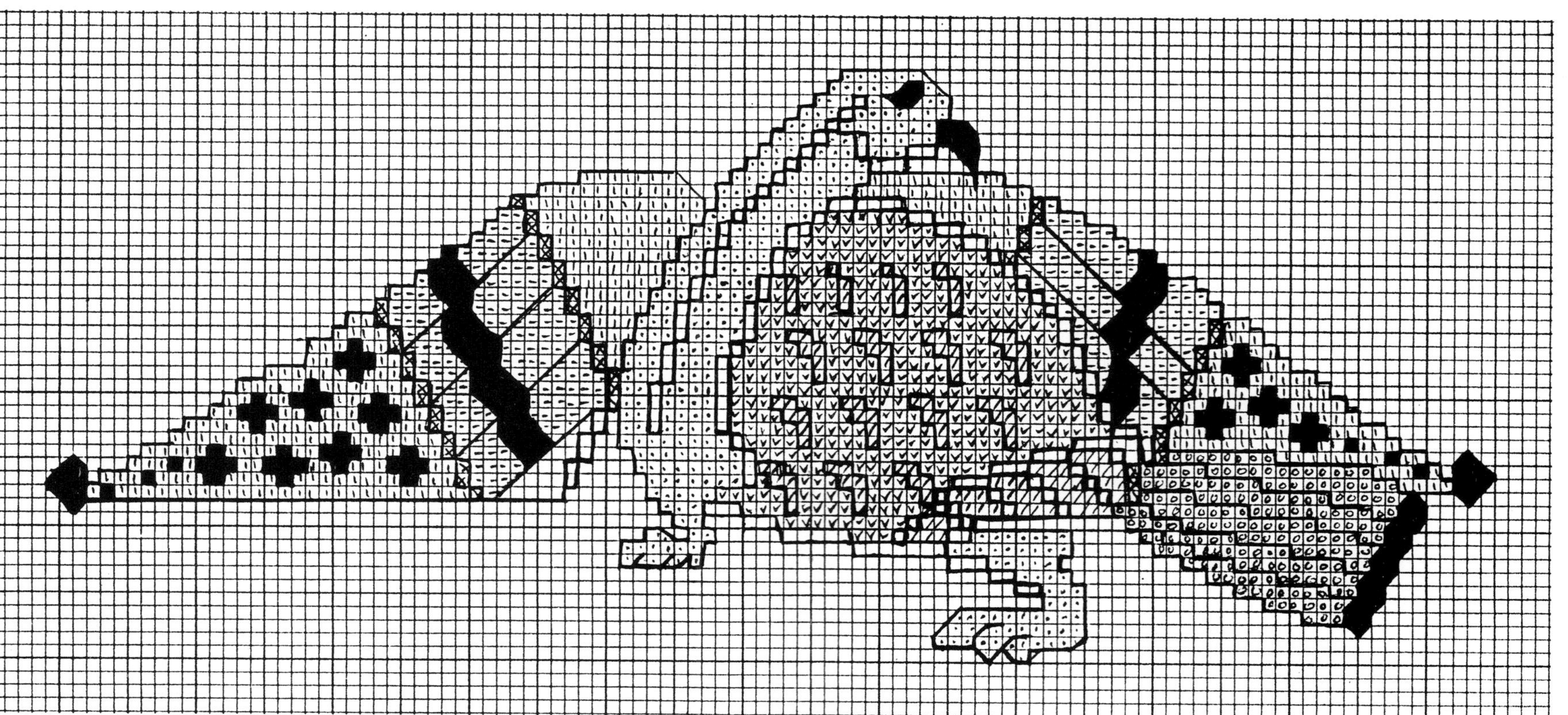

Ioan Sant Eryr

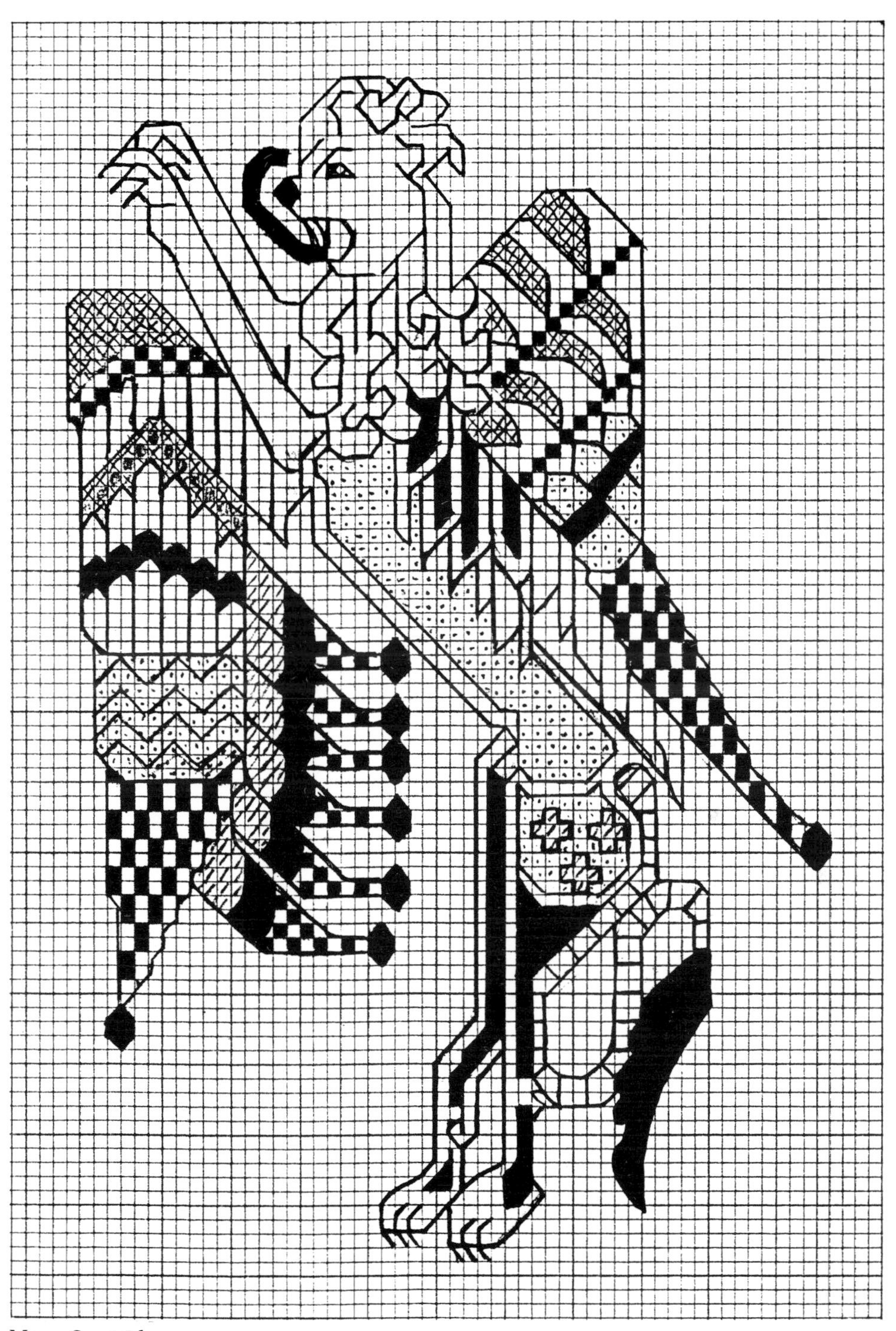

Marc Sant Llew

Paratoi i Weithio

Ni ddylai yr un edau fod yn fwy na phymtheng modfedd (38 cm) o hyd. Os yw'n llawer hirach fe fydd wedi colli'r gloywder wrth fynd trwy'r ffabric nifer o weithiau—am yr un rheswm ni ddylid ail ddefnyddio edau wedi ei datod. Gellir torri edau i'r maint priodol cyn dechrau gwnïo a'i clymu ar gerdyn, gan gofio nodi rhif y lliw. Mae hyn o gymorth i gadw'r edau'n daclus a hefyd eu cadw at y gwaith nesaf.

Wrth ddechrau pwytho peidiwch â defnyddio cwlwm oherwydd gall hyn roi gorffeniad anwastad i'r gwaith. Angorwch yr edau tu ôl i bwythau eraill os yw hyn yn gyfleus—neu gadewch gudyn i weithio yn ôl i'r pwythau wedyn, ond cofiwch wneud hyn yn rheolaidd neu gall y gwaith fynd yn flêr iawn.

Peidiwch â chario edau dros fwy na dwy edau o'r ffabric gan y gall hyn ddangos trwy'r ffabric ar yr ochr iawn, ac hefyd fe effeithir ar densiwn y gwaith.

Cadwch eich gwaith yn lân trwy ei rolio mewn lliain glân ond os yw'r sampler yn edrych braidd yn fudr ar ôl ei orffen mae'n bosibl ei olchi'n ofalus.

Ymlaciwch a mwynhewch eich hun—fe fydd problemau'r byd yn cilio wrth i chwi wnïo'r sampler bwyth wrth bwyth.

Cyhoedda'r Lolfa nifer fawr o lyfrau
ar bob math o wahanol bynciau.
Am restr gyflawn o'n holl gyhoeddiadau,
mynnwch gopi ar frys
o'n Catalog rhad, 80-tudalen.

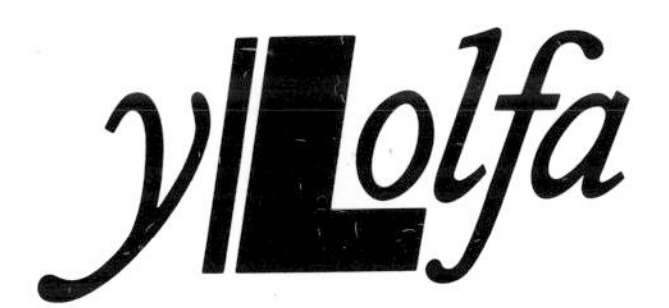

TALYBONT
CEREDIGION
CYMRU
SY24 5HE
ffôn (0970) 832 304
ffacs 832 782